DETAILS DE MODE
A LA LOUPE
FOCUS ON
FASHION DETAILS

TOME 2   Poches

VOLUME 2   Pockets

Conception, réalisation et écriture /
Concept and composition :

Claire Wargnier

Traduction anglaise / English translation :

Patricia Loué-Milanese

Illustrations : Isabelle Gonnet

ESMODEDITIONS

Préface

Pour les « accros » de mode, les « addicts » qui en ont assez, sous prétexte qu'ils ne sont pas professionnels, de ne pouvoir confectionner leurs créations qu'à partir de quatre rectangles avec des poches plaquées !

Pour les étudiants en panne de virtuosité devant leur machine à coudre à 2 heures du matin, ou les stylistes et chefs de produits pour qui l'élaboration technique d'un vêtement reste un mystère !

Pour tous les créatifs de la mode en demande d'un langage universel afin de mieux communiquer avec leur partenaire durant la phase de fabrication.

Voilà le point de départ de la mise en œuvre de cet ouvrage qui a vu le jour, petit à petit, afin de répondre à la demande de nombreuses classes d'étudiants, de futurs créatifs de la mode devant comprendre les mécanismes du vêtement occidental, les apprendre et savoir les retraduire sous différentes formes.

Présenté sous forme de fiches détaillées à la loupe, cet ouvrage en quatre tomes s'inscrit dans une démarche pédagogique et professionnelle qui permet à la modéliste ainsi qu'à toutes les personnes entrant dans le processus de création et de fabrication d'un vêtement d'installer un rapport confiant et percutant dans leur communication, souvent éloignée.

Ces fiches vulgarisent et développent étape par étape les processus de fabrication des différentes pièces et détails possibles dans l'élaboration d'un vêtement de Prêt-à-Porter industriel avec un outil artisanal, comme c'est le cas pour des étudiants, des particuliers ou de nombreux professionnels travaillant en dehors des unités de fabrication industrielle.

Ecrites et dessinées étape par étape pour les vestiaires Homme, Femme, Enfant et Bébé, elles répondent aux contraintes de l'industrie tant dans ses normes (Tableaux de longueurs, largeurs, adaptation aux fournitures industrielles, …) que dans son langage (codes, sections, vocabulaires, …).

Le modéliste trouvera à la suite des fiches explicatives, les différentes pièces de patronage servant à élaborer chaque montage.

Les textes de ces ouvrages sont bilingue français - anglais et s'appuient sur le langage de sections et de visuels qui en permettent une compréhension et un emploi universel.

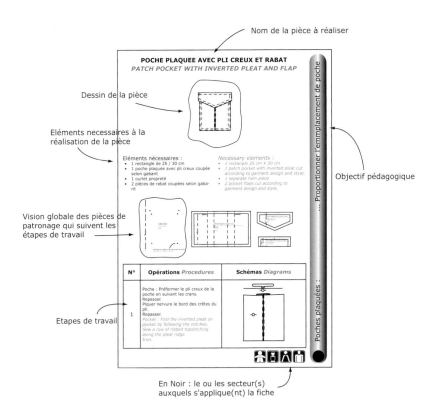

Préface

For 'fashion addicts' who, under the pretext of not being professionals, are tired of having to start every creation from four rectangles with patch pockets;

For uninspired students sitting in front of their sewing machines at 2 a.m. or for designers and product managers for whom the technique of creating a garment remains shrouded in mystery;

For all designers who require a universal language to communicate with other designers during the fabrication process ;

This manual answers the needs of the above-named audiences. 'Focus on Fashion Details' provides valuable assistance in understanding the mechanisms of garment creation and the transformation of the shapes of these garments.

This four-volume manual which focuses on fashion details is designed for both educational and professional use. It enables pattern drafters as well as other professionals involved in the process of creation and manufacturing of garments to communicate and collaborate effectively even when working at different locations.

The procedures and diagrams break down all the basic steps for manufacturing a ready-to-wear garment using the basic equipment available to students, independent designers and other professionals who work outside of the industry.

Written and illustrated step by step including garments for men, women, children and babies, these procedures strictly adhere to industrial constraints, norms and terminology (measurement lengths, widths, adaptation to industrial equipment, etc.) using technical vocabulary, symbols and codes.
Following each explanation, the pattern drafter will find outlines for the pattern pieces necessary for the assembly.
The bilingual French-English text, as well as the symbols and diagrams, make these volumes universally accessible.

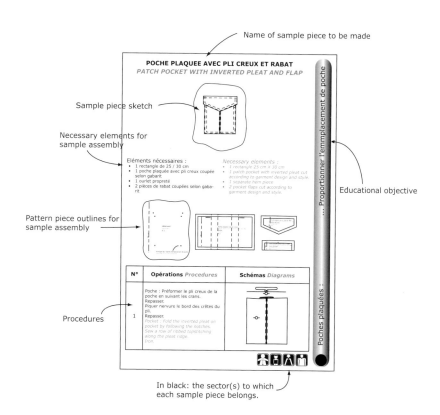

SOMMAIRE SUMMARY

LISTE DES FOURNITURES

- Des épingles de couturière fines
- Des épingles de sûreté
- Un aimant
- Une pelote à épingles
- Des aiguilles à coudre pointues, employées pour la couture courante
- Un enfile-aiguille
- Un dé
- Des ciseaux coudés de tailleur
- Des ciseaux à broder
- Un découd-vite
- Un coupe-fil
- Un poinçon
- Une roulette
- Un mètre-ruban
- Un réglet de 20cm
- Une règle japonaise
- Un crayon de tailleur
- Un tourneur ou sifran
- Un passe-carreau ou bloc à marteler
- Un coussin de tailleur
- Une jeannette
- Une patte-mouille
- Une patte-sèche
- Une machine à coudre
- Une surjeteuse-raseuse
- Un fer à vapeur
- Une planche à repasser

SUPPLIES AND EQUIPMENT

- Fine straight pins
- Safety pins
- A magnet
- A pincushion
- Hand sewing needles, used for basic tailoring
- A needle-threader
- A thimble
- Tailor's scissors
- Embroidery scissors
- A seam ripper
- Thread snips
- A piercer point
- A tracing wheel
- A tape measure
- A 20 cm ruler
- A transparent 'Japanese' ruler
- Tailor's chalk
- A crease turner
- A wooden clapper
- A tailor's ham
- A sleeve board
- A dampened presscloth
- A dry presscloth
- A sewing machine
- An overlock machine
- A steam iron
- An ironing board

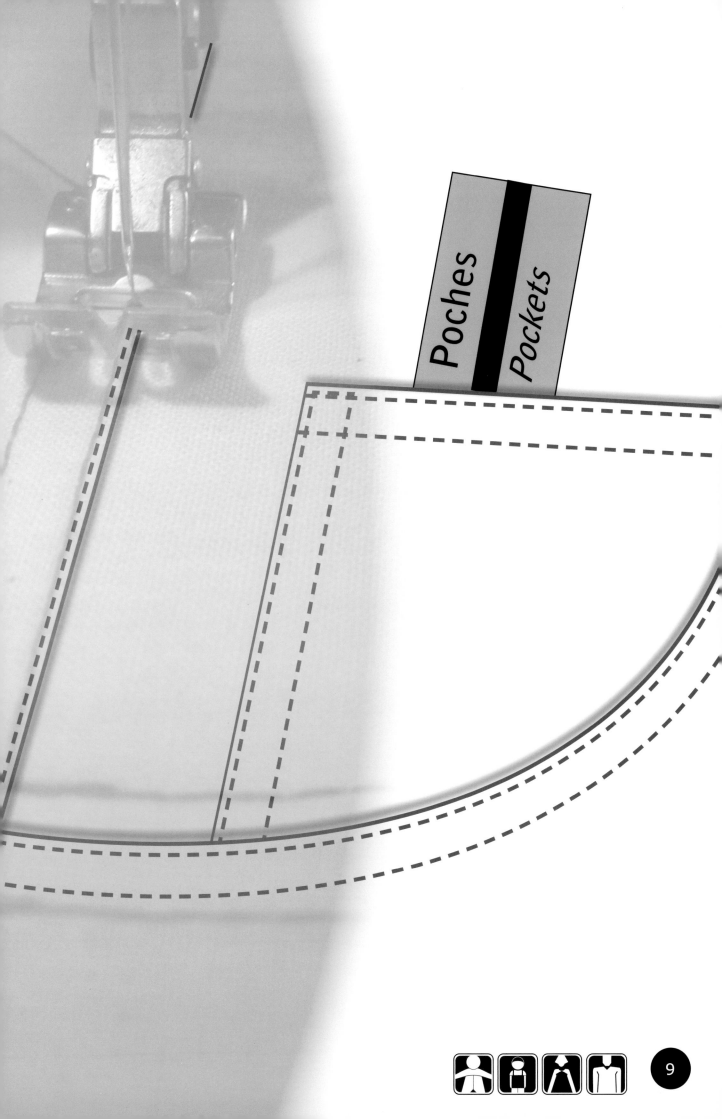

Poches

Pockets

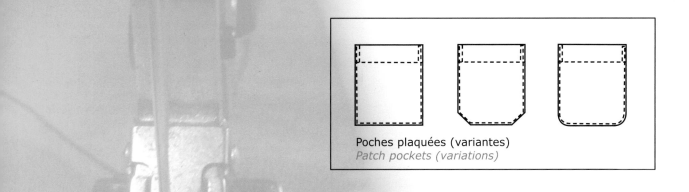

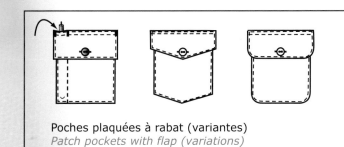

Poches plaquées (variantes)
Patch pockets (variations)

Poches plaquées à rabat (variantes)
Patch pockets with flap (variations)

Poches plaquées

Patch pockets

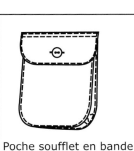

Poche soufflet à même
*Patch pocket
with one-piece gusset*

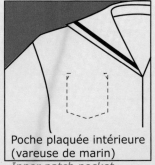

Poche plaquée intérieure
(vareuse de marin)
*Inner patch pocket
(sailor's tunic)*

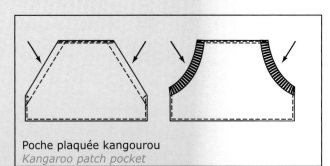

Poche plaquée kangourou
Kangaroo patch pocket

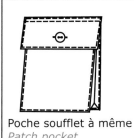

Poche soufflet en bande
rapportée
*Patch pocket
with separate gusset*

Poche bourse
Purse pocket

Poche plaquée avec pli creux
"saharienne"
*Patch pocket with inverted
pleat "safari"*

Poche plaquée fourreau
Sheathed patch pocket

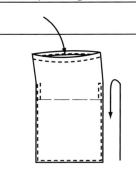

Poche plaquée "ciré de marin"
Sailor coat patch pocket

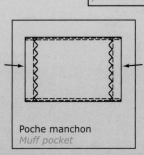

Poche manchon
Muff pocket

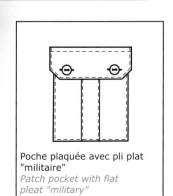

Poche plaquée avec pli plat
"militaire"
*Patch pocket with flat
pleat "military"*

Poche couture côté
Pocket in a seam

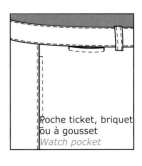

Poche ticket, briquet ou à gousset
Watch pocket

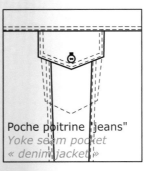

Poche couture avec parement
Pocket in a seam with facing

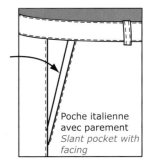

Poche italienne avec parement
Slant pocket with facing

Poches dans les coutures

Pockets in a seam

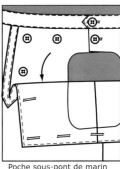

Poche italienne
Slant pocket

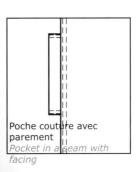

Poche poitrine "jeans"
Yoke seam pocket « denim jacket »

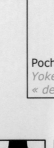

Poche dans une découpe sous un rabat
Seam pocket under a flap

Poche volante intérieure de dessous de manche pour téléphone portable
Unattached inner pocket on the under armhole for cell phone

Poche quart de rond
Front hip pocket

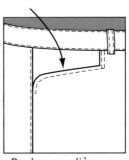

Poche sous-pont de marin
Sailor pocket

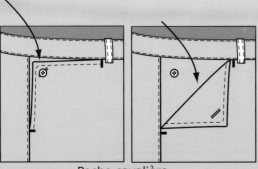

Poche cavalière
Western pocket

Poche cavalière
Western pocket

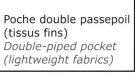

**Poche double passepoil
(tissus fins)**
*Double-piped pocket
(lightweight fabrics)*

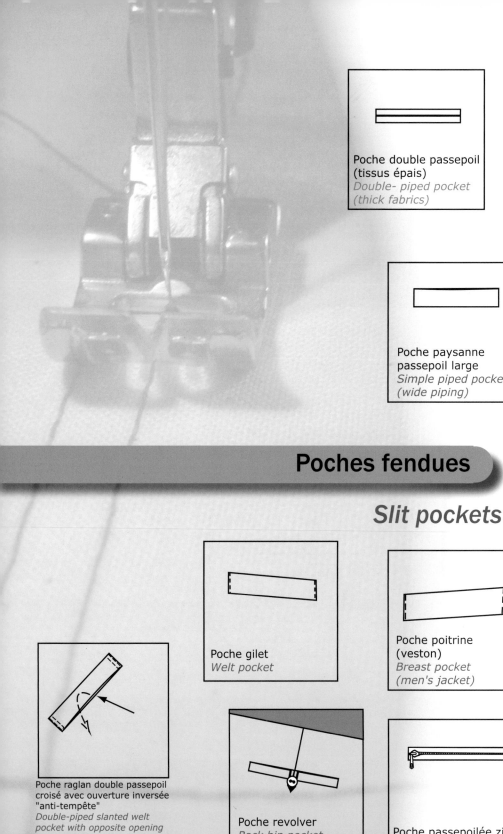

**Poche double passepoil
(tissus épais)**
*Double- piped pocket
(thick fabrics)*

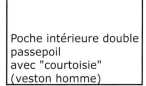

**Poche intérieure double
passepoil
avec "courtoisie"
(veston homme)**
*Inner double-piped
pocket with tab
(men's jacket)*

**Poche paysanne
passepoil large**
*Simple piped pocket
(wide piping)*

**Poche paysanne
passepoil étroit**
*Simple piped pocket
(narrow piping)*

Poches fendues

Slit pockets

Poche gilet
Welt pocket

**Poche poitrine
(veston)**
*Breast pocket
(men's jacket)*

**Poche double passepoil
avec rabat**
*Double- piped pocket
with flap*

**Poche raglan double passepoil
croisé avec ouverture inversée
"anti-tempête"**
*Double-piped slanted welt
pocket with opposite opening
"anti-storm"*

Poche revolver
Back hip pocket

Poche passepoilée zippée
Zipped piped pocket

Poche fendue zippée
Zipped slit pocket

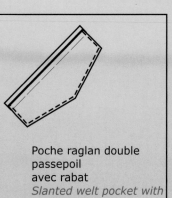

**Poche raglan double
passepoil
avec rabat**
*Slanted welt pocket with
double piping and
flap(lightweight fabrics)*

Poche raglan
Slanted welt pocket

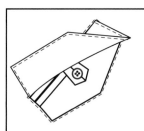

**Poche double passepoil à découpe
incrusté avec rabat**
*Double-piped pocket with inset
yoke and flap*

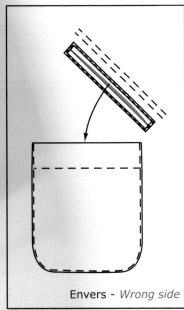

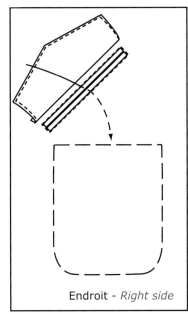

Envers - *Wrong side*   **Endroit - *Right side***

Entrée de poche passepoilée sur poche plaquée intérieure (doublure)
et poche de vêtement porté dessous,
façon imperméable "Burberry"
*Piped pocket opening on inner patch pocket (lining) and garment
pocket put inside, like on a "Burberry" raincoat*

Variantes de poches

Pockets variations

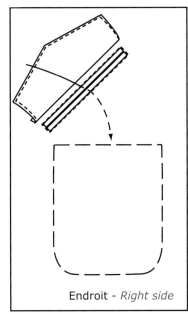

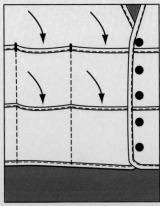

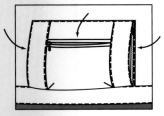

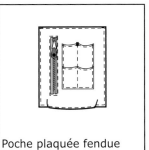

Poche plaquée fendue
zippée (manche Perfecto)
*Zipped slit patch pocket
(Perfecto sleeve)*

Poche dos gibecière ou
carnier
avec soufflets latéraux
zippés et pinces
*Back poacher patch
pocket with zipped lateral
gusset and darts*

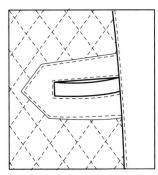

Poche paysanne avec
renfort de cuir (intérieur
Perfecto)
*Simple piped pocket with
leather reinforcement
(Inner perfecto)*

Multi-poches plaquées
(Devant de gilet de serveur)
*Multi-patch pockets
(Waiter's vest front)*

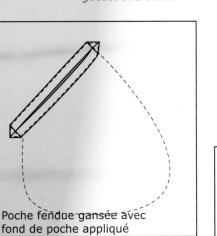

Poche fendue gansée avec
fond de poche appliqué
*Corded slit pocket with
topstitched pocket sack*

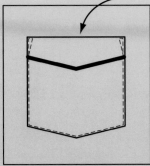

Poche plaquée avec ganse
incrustée, façon "pyjama"
*Patch pocket with inset cord,
like "pyjama"*

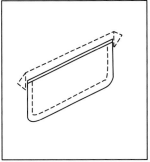

Poche double-passepoil à rabat
avec piqûre décorative
*Double piped pocket with flap
and decorative stitching*

13

POCHE PLAQUEE
PATCH POCKET

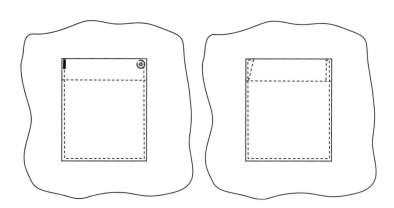

Eléments nécessaires :
- 1 rectangle de 25 / 30 cm
- 1 poche plaquée coupée selon gabarit

Necessary elements :
- *1 rectangle 25 cm X 30 cm*
- *1 patch pocket cut according to garment design and style*

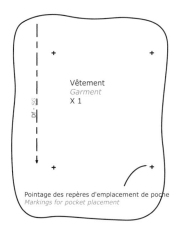

Vêtement
Garment
X 1

Df - SG

Pointage des repères d'emplacement de poche
Markings for pocket placement

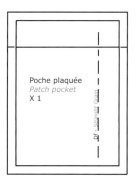

Poche plaquée
Patch pocket
X 1

Df - Straight Grain

N°	Opérations *Procedures*	Schémas *Diagrams*
1	**Ourlet du haut de poche :** Retourner la valeur de couturage sur l'envers, puis la valeur d'ourlet. Repasser. *Upper pocket edge hem:* *Fold the seam allowance value on the wrong side of fabric, and then fold the hem width value. Iron.*	
2	Piquer nervure l'ourlet de haut de poche sur toute sa largeur. *Sew the hem with a row of ribbed topstitching.*	

14

3	Préparer la poche en retournant le couturage des trois côtés restants sur l'envers (utilisation d'un gabarit poche finie en carton). Repasser ces couturages en retournant les deux angles en onglet (A). *Prepare the pocket by ironing the seam allowances over cardboard template cut to finished pocket size. Iron and fold the angles into a miter (A).*	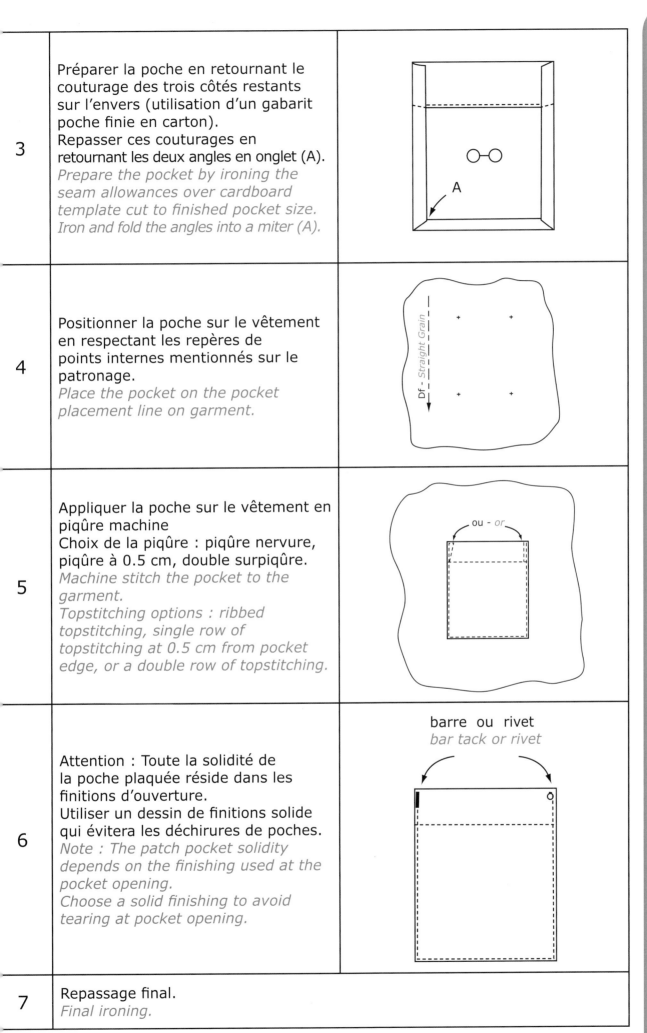
4	Positionner la poche sur le vêtement en respectant les repères de points internes mentionnés sur le patronage. *Place the pocket on the pocket placement line on garment.*	
5	Appliquer la poche sur le vêtement en piqûre machine Choix de la piqûre : piqûre nervure, piqûre à 0.5 cm, double surpiqûre. *Machine stitch the pocket to the garment. Topstitching options : ribbed topstitching, single row of topstitching at 0.5 cm from pocket edge, or a double row of topstitching.*	
6	Attention : Toute la solidité de la poche plaquée réside dans les finitions d'ouverture. Utiliser un dessin de finitions solide qui évitera les déchirures de poches. *Note : The patch pocket solidity depends on the finishing used at the pocket opening. Choose a solid finishing to avoid tearing at pocket opening.*	
7	Repassage final. *Final ironing.*	

Tracé Poche plaquée
Patch pocket outline

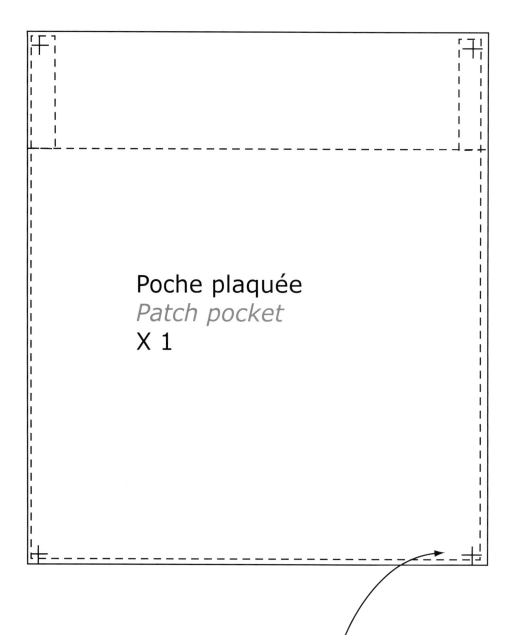

Vêtement
Garment

Poche plaquée
Patch pocket
X 1

Pointage des repères d'emplacement de poche
Markings for pocket placement

Tracé Poche plaquée
Patch pocket outline

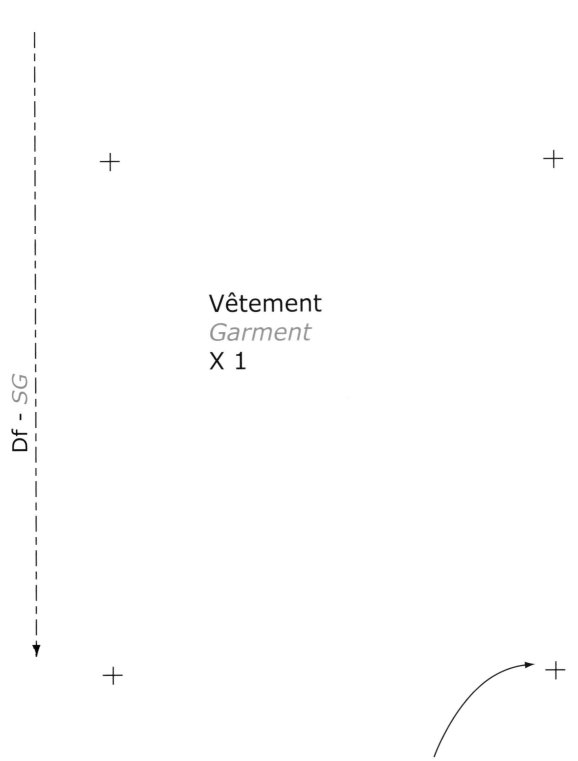

Vêtement
Garment
X 1

Df - *SG*

Pointage des repères d'emplacement de poche
Markings for pocket placement

Tracé Poche plaquée
Patch pocket outline

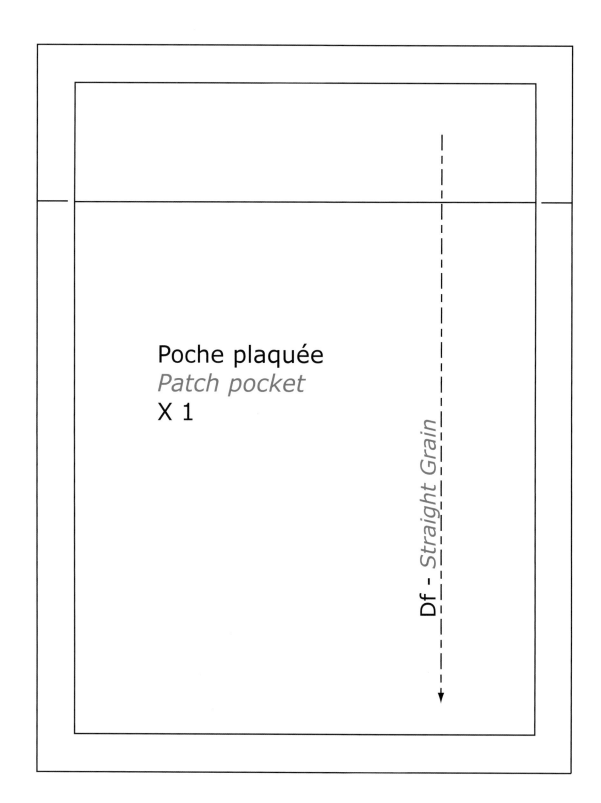

Poche plaquée
Patch pocket
X 1

Df - *Straight Grain*

Gabarit de courbes de poches
Template for pockets curves
à couper en carton
to be cut in cardboard

1.5 cm
1 cm

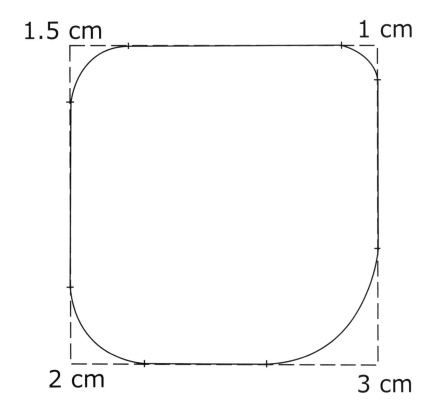

2 cm
3 cm

POCHE PLAQUEE AVEC RABAT
PATCH POCKET WITH FLAP

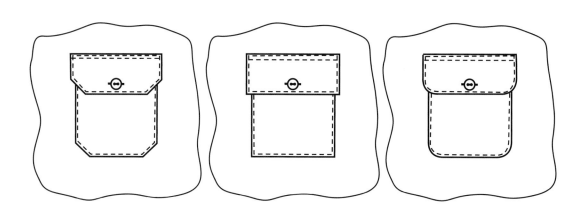

Eléments nécessaires :
- 1 rectangle de 25/30 cm
- 1 poche plaquée coupée selon gabarit
- 2 pièces de rabat coupées selon gabarit

Necessary elements :
- *1 rectangle 25 cm X 30 cm*
- *1 patch pocket cut according to garment design and style*
- *2 pocket flaps cut according to garment design and style*

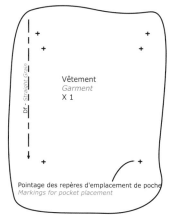

Df - Straight Grain

Vêtement
Garment
X 1

Pointage des repères d'emplacement de poche
Markings for pocket placement

Df - Straight Grain

Poche plaquée
Patch pocket
X 1

Df - Straight Grain

Rabat de poche plaquée
Patch pocket flap
X 2

N°	Opérations *Procedures*	Schémas *Diagrams*
1	**Ourlet du haut de poche :** Retourner la valeur de couturage sur l'envers, puis la valeur d'ourlet. Repasser. ***Upper pocket edge hem:** Fold the seam allowance value on the wrong side of fabric, and then fold the hem width value. Iron.*	
2	Piquer nervure l'ourlet de haut de poche sur toute sa largeur. *Sew the hem with a row of ribbed topstitching.*	

3	Préparer la poche en retournant le couturage des trois côtés restants sur l'envers (utilisation d'un gabarit poche finie en carton). Repasser ces couturages en retournant les deux angles en onglet (A). *Prepare the pocket by ironing the seam allowances over cardboard template cut to finished pocket size. Iron and fold the angles into a miter (A).*	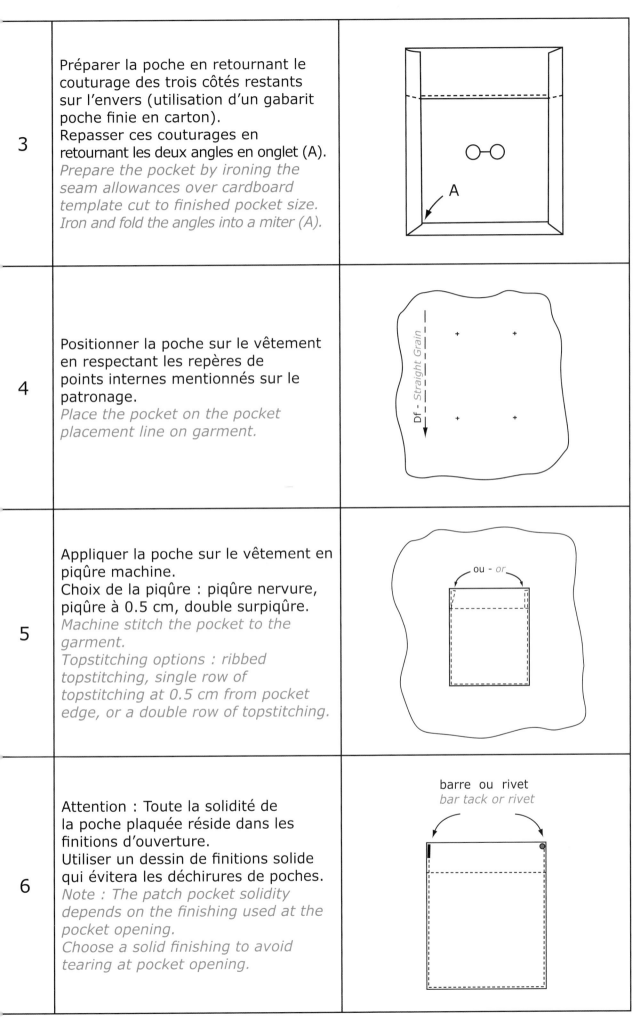
4	Positionner la poche sur le vêtement en respectant les repères de points internes mentionnés sur le patronage. *Place the pocket on the pocket placement line on garment.*	
5	Appliquer la poche sur le vêtement en piqûre machine. Choix de la piqûre : piqûre nervure, piqûre à 0.5 cm, double surpiqûre. *Machine stitch the pocket to the garment.* *Topstitching options : ribbed topstitching, single row of topstitching at 0.5 cm from pocket edge, or a double row of topstitching.*	
6	Attention : Toute la solidité de la poche plaquée réside dans les finitions d'ouverture. Utiliser un dessin de finitions solide qui évitera les déchirures de poches. *Note : The patch pocket solidity depends on the finishing used at the pocket opening.* *Choose a solid finishing to avoid tearing at pocket opening.*	

Poches plaquées :

7	**Rabat de poche :** Positionner les deux pièces du rabat endroit contre endroit. Piquer la valeur de couturage (1 cm) en suivant la forme du rabat sans fermer la largeur du haut. ***Pocket flap :*** *Place the two pocket flaps with right sides together.* *Stitch at 1 cm from the edge (seam allowance value) following the shape of flap. Do not close the upper width of flap.*	
8	Dégarnir une des épaisseurs de couturage (celle qui sera contre le vêtement) à 0.5 cm et couper les angles. Repasser en utilisant un gabarit carton. Retourner, repasser à nouveau sur l'endroit. *Trim one layer of the seam allowance value (the layer that will be next to the garment) at 0.5 cm and clip the angles.* *Iron using a cardboard template.* *Turn, iron again on the right side of fabric.*	
9	Surpiquer les trois côtés fermés selon le modèle de la poche. *Topstitch the three closed sides of the flap, according to the pocket design and style.*	
10	Placer le haut du rabat endroit du rabat contre endroit du vêtement en respectant le positionnement prévu dans le gabarit. *Place the upper edge of the flap (right side) on to the right side of the garment, matching the flap to the placement line on garment.*	

22

11	Piquer à 1 cm (valeur de couturage) sur toute la largeur du rabat en respectant les points d'arrêt de début et de fin de couture. *Stitch at 1 cm from the edge (seam allowance value) across the flap. Backstitch at the beginning and the end of seam.*	
12	Araser le couturage et retourner sur l'endroit. *Trim the seam allowance close to the stitch line and turn the flap to the right side.*	
13	Surpiquer cette couture sur l'endroit du rabat de façon à enfermer la couture proprement (points d'arrêt ou barres de finitions). *Topstitch this seam on the right side of the flap in order to enclose the seam allowance.* *Use backstitching or bar tacks.*	
14	Repassage final. *Final ironing.*	

Tracé Poche plaquée à rabat
Outline for patch pocket with flap

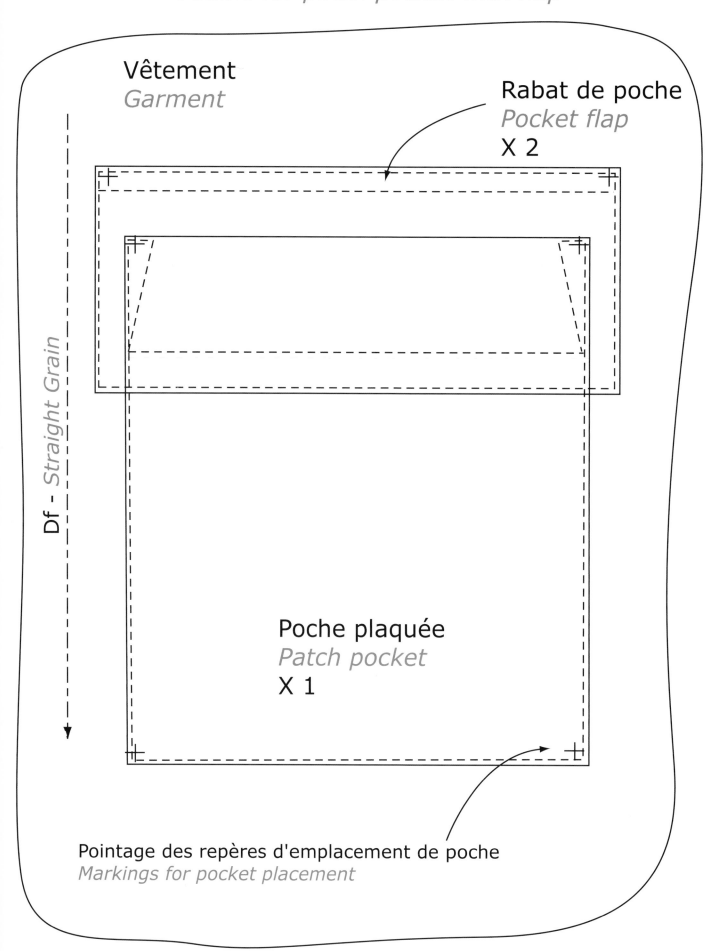

Vêtement
Garment

Rabat de poche
Pocket flap
X 2

Df - *Straight Grain*

Poche plaquée
Patch pocket
X 1

Pointage des repères d'emplacement de poche
Markings for pocket placement

Tracé Poche plaquée à rabat
Outline for patch pocket with flap

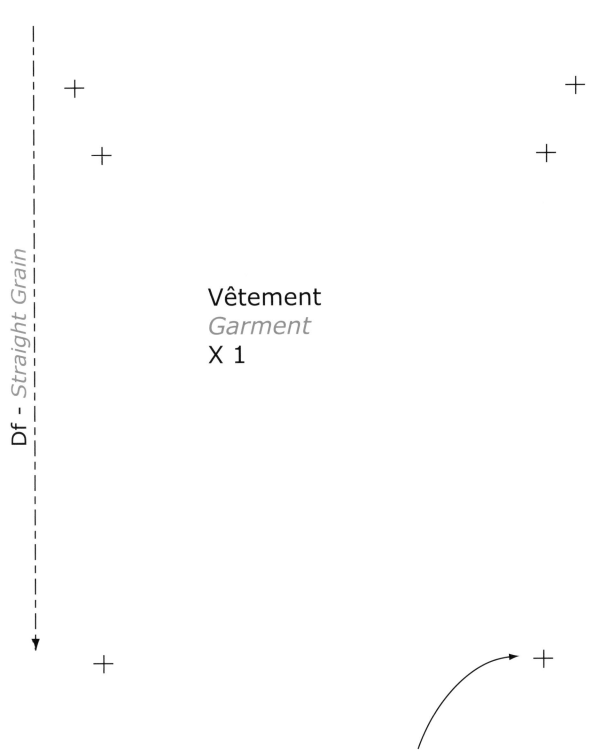

Df - *Straight Grain*

Vêtement
Garment
X 1

Pointage des repères d'emplacement de poche
Markings for pocket placement

Tracé Poche plaquée à rabat
Outline for patch pocket with flap

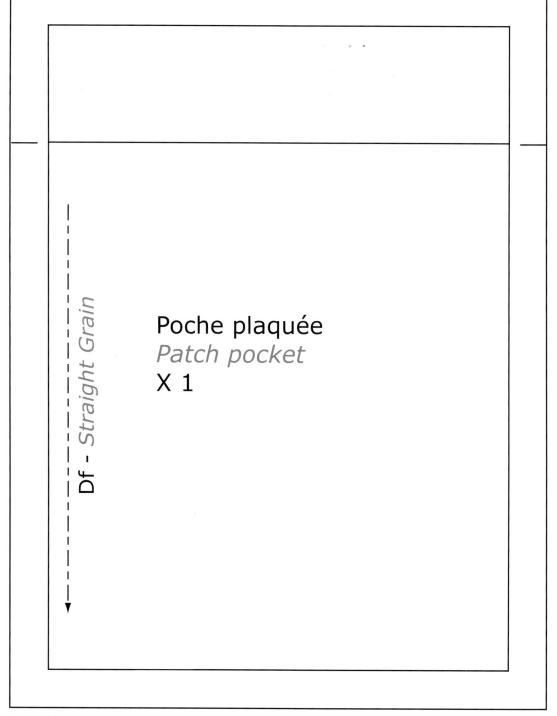

Rabat de poche plaquée
Patch pocket flap
X 2

Df - *Straight Grain*

Poche plaquée
Patch pocket
X 1

Df - *Straight Grain*

POCHE PLAQUEE AVEC PLI CREUX ET RABAT
PATCH POCKET WITH INVERTED PLEAT AND FLAP

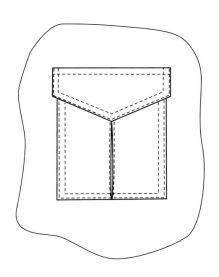

Éléments nécessaires :
- 1 rectangle de 25 / 30 cm
- 1 poche plaquée avec pli creux coupée selon gabarit
- 1 ourlet propreté
- 2 pièces de rabat coupées selon gabarit

Necessary elements :
- *1 rectangle 25 cm X 30 cm*
- *1 patch pocket with inverted pleat cut according to garment design and style.*
- *1 separate hem piece*
- *2 pocket flaps cut according to garment design and style.*

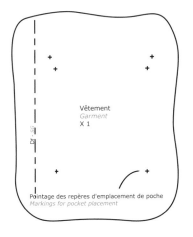

Vêtement
Garment
X 1

Pointage des repères d'emplacement de poche
Markings for pocket placement

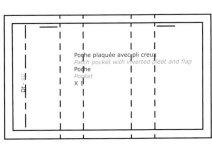

Poche plaquée avec pli creux
Patch pocket with inverted pleat and flap
Poche
Pocket
X 1

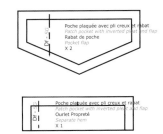

Poche plaquée avec pli creux et rabat
Patch pocket with inverted pleat and flap
Rabat de poche
Pocket flap
X 2

Poche plaquée avec pli creux et rabat
Patch pocket with inverted pleat and flap
Ourlet Propreté
Separate hem
X 1

N°	Opérations *Procedures*	Schémas *Diagrams*
1	**Poche :** Préformer le pli creux de la poche en suivant les crans. Repasser. Piquer nervure le bord des crêtes du pli. Repasser. ***Pocket :*** *Fold the inverted pleat on pocket by following the notches. Sew a row of ribbed topstitching along the pleat ridge. Iron.*	

2	**Fixer le pli en haut et en bas par une piqûre de maintien à 0.5 cm du bord.** *Stitch pleat closed at 0.5 cm from the edge at upper and lower part of pleat.*	
3	**Surfiler le bas de la propreté d'ourlet. Poser l'endroit de celle-ci sur l'endroit du haut de la poche (plis fermés) et piquer à 1 cm sur les trois côtés non surfilés.** *Overlock the lower edge of the separate hem piece.* *With right sides together, assemble the hem piece to the upper pocket edge (pleat closed). Stitch at 1 cm on the 3 sides (that are not overlocked).*	
4	**Dégarnir les angles, retourner, repasser et surpiquer le haut de poche selon le modèle.** *Clip the angles, turn and iron. Topstitch the upper part of the pocket according to garment design and style.*	
5	**Préformer 1 cm de couture sur tout le tour de la poche.** *Iron the seam allowances 1 cm all around the pocket.*	

6	Poser sur le vêtement en suivant les pointages et appliquer par une piqûre nervure. Attention : Toute la solidité de la poche plaquée réside dans les finitions d'ouverture. Utiliser un dessin de finitions solide qui évitera les déchirures de poches. *Sew the pocket to garment following the markings, with a row of ribbed topstitching.* *Note : The patch pocket solidity depends on the finishing used at the pocket opening.* *Choose a solid finishing to avoid tearing at pocket opening.*	
7	**Rabat de poche :** Positionner les deux pièces du rabat endroit contre endroit. Coulisser la valeur de couturage (1 cm) en suivant la forme du rabat sans fermer la largeur du haut. ***Pocket flap :*** *Place the two pocket flaps with right sides together.* *Stitch at 1 cm from the edge (seam allowance value) following the shape of flap. Do not close the upper width of flap.*	
8	Dégarnir une des épaisseurs de couturage (celle qui sera contre le vêtement) à 0.5 cm et couper les angles. Repasser en utilisant un gabarit en carton du rabat fini. Retourner, repasser à nouveau sur l'endroit. *Trim one layer of the seam allowance value (the layer that will be next to the garment) at 0.5 cm and clip the angles.* *Iron using a cardboard template cut to finished flap size.* *Turn to the right side and iron.*	
9	Surpiquer les trois côtés fermés selon le modèle de la poche. *Topstitch the three closed sides of the flap, according to pocket design and style.*	

Poches plaquées :

10	Placer le haut du rabat endroit du rabat contre endroit du vêtement en respectant le positionnement prévu dans le gabarit. Piquer à 1 cm (valeur de couturage) sur toute la largeur du rabat en respectant les points d'arrêt de début et de fin de couture. *Place the upper edge of the flap (right side) on the right side of the garment, matching the flap to the placement line on garment.* *Stitch at 1 cm from the edge (seam allowance value) across the flap.* *Backstitch at the beginning and the end of seam.*	
11	Araser le couturage et retourner sur l'endroit. Surpiquer cette couture sur l'endroit du rabat de façon à enfermer la couture proprement (points d'arrêt ou barres de finitions). *Trim the seam allowance close to the stitch line and turn the flap to the right side.* *Topstitch this seam on the right side of the flap in order to enclose the seam allowance.* *Use backstitching or bar tacks at each end.*	
12	Repassage final. *Final ironing.*	

NOTES /

Tracé Poche plaquée à rabat avec pli creux
Outline for patch pocket with inverted pleat and flap

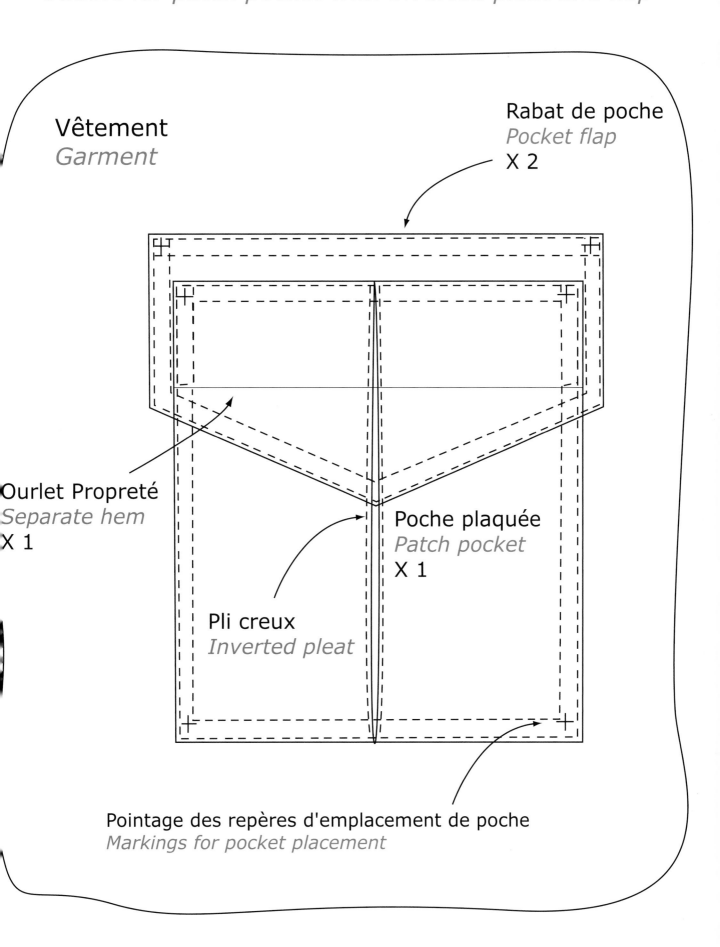

Vêtement
Garment

Rabat de poche
Pocket flap
X 2

Ourlet Propreté
Separate hem
X 1

Poche plaquée
Patch pocket
X 1

Pli creux
Inverted pleat

Pointage des repères d'emplacement de poche
Markings for pocket placement

Tracé Poche plaquée à rabat avec pli creux
Outline for patch pocket with inverted pleat and flap

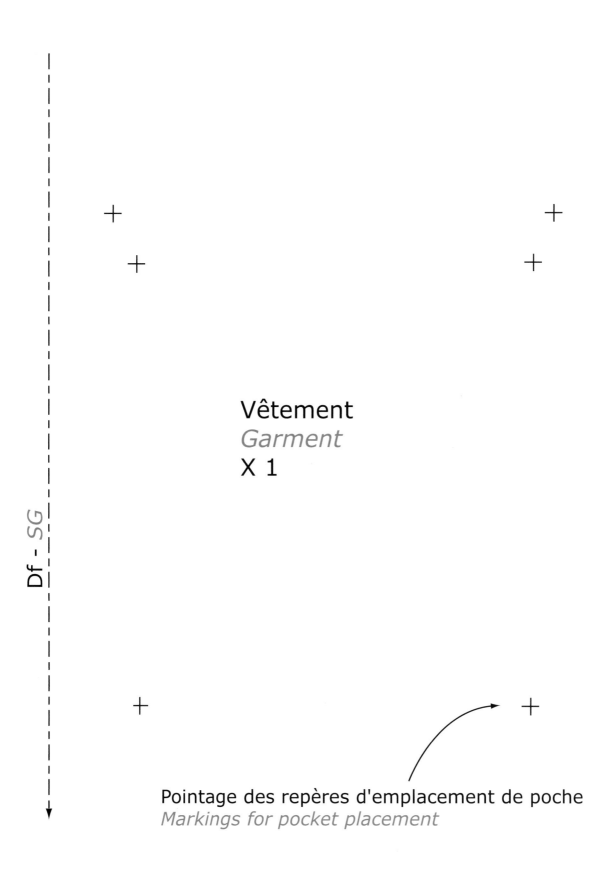

Df - *SG*

Vêtement
Garment
X 1

Pointage des repères d'emplacement de poche
Markings for pocket placement

Tracé Poche plaquée à rabat avec pli creux
Outline for patch pocket with inverted pleat and flap

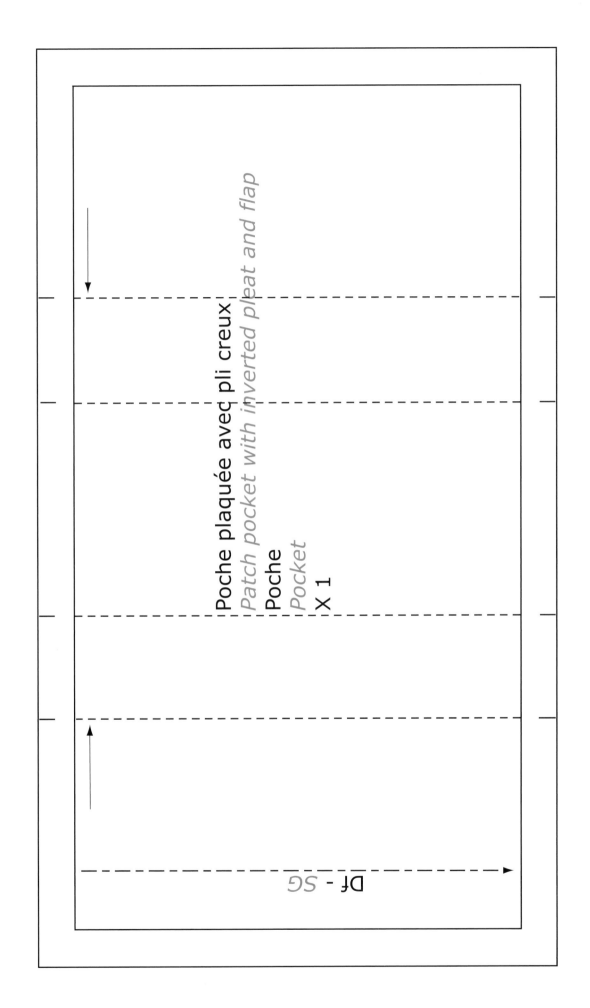

Poche plaquée avec pli creux
Patch pocket with inverted pleat and flap

Poche
Pocket
X 1

Df - SG

Tracé Poche plaquée à rabat avec pli creux
Outline for patch pocket with inverted pleat and flap

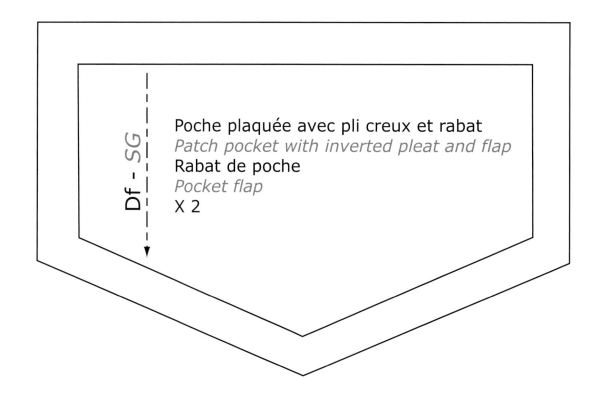

Df - SG

Poche plaquée avec pli creux et rabat
Patch pocket with inverted pleat and flap
Rabat de poche
Pocket flap
X 2

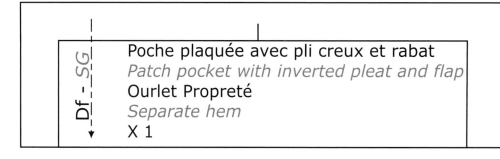

Df - SG

Poche plaquée avec pli creux et rabat
Patch pocket with inverted pleat and flap
Ourlet Propreté
Separate hem
X 1

POCHE PLAQUEE A SOUFFLET AVEC RABAT
PATCH POCKET WITH GUSSET AND FLAP

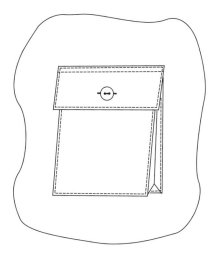

léments nécessaires :
- 1 rectangle de 25 / 30 cm
- 1 poche plaquée avec soufflet coupée selon gabarit
- 1 ourlet propreté
- 2 pièces de rabat coupées selon gabarit

Necessary elements :
- *1 rectangle 25 cm X 30 cm*
- *1 patch pocket with gusset cut according to garment design and style.*
- *1 separate hem piece*
- *2 pocket flaps cut according to garment design and style.*

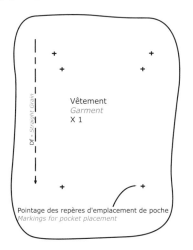

Vêtement
Garment
X 1

Df – Straight Grain

Pointage des repères d'emplacement de poche
Markings for pocket placement

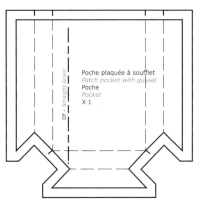

Poche plaquée à soufflet
Patch pocket with gusset
Poche
Pocket
X 1

Df – Straight Grain

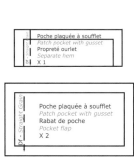

Poche plaquée à soufflet
Patch pocket with gusset
Propreté ourlet
Separate hem
X 1

Poche plaquée à soufflet
Patch pocket with gusset
Rabat de poche
Pocket flap
X 2

Df – Straight Grain

N°	**Opérations** *Procedures*	**Schémas** *Diagrams*
1	**Poche :** Piquer endroit contre endroit à 1 cm la forme des soufflets de bas de poche en s'arrêtant à 1 cm du bord. Cranter, ouvrir les coutures et retourner sur l'endroit. *Pocket :* *With right sides together, stitch the shape of gusset (1 cm seam allowance) at the lower part of the pocket stopping at 1 cm from the edge.* *Clip, open the seams and turn to right side of fabric*	

2	Repasser les trois axes des plis du soufflet en suivant les crans puis piquer nervure pour les maintenir. *Fold and iron the three pleat gusset axis, following the notches. Sew a row of ribbed topstitching around the pleated edge.*	
3	Surfiler le bas de la propreté d'ourlet. Poser l'endroit de celle-ci sur l'endroit du haut de la poche (plis fermés) et piquer à 1 cm sur les trois côtés non surfilés, en passant au bord et en dehors de la valeur de soufflet. *Overlock the lower edge of the separate hem piece.* *With right sides together, assemble the hem piece to the upper pocket edge (pleats closed). Stitch at 1 cm on the three sides (that are not overlocked) around the edge and outside of the pleat value.*	
4	Dégarnir les angles, retourner, repasser et surpiquer le haut de poche selon le modèle. *Clip the angles, turn and iron.* *Topstitch the upper part of the pocket according to garment design and style.*	
5	Préformer 1 cm de couture sur tout le tour de la poche. Attention : Les angles seront dégarnis et préformés de façon à être précisément sur la couture de soufflet. *Iron the seam allowances 1 cm all around the pocket.* *Note: The angles will be clipped and turned on to the gusset seam line.*	

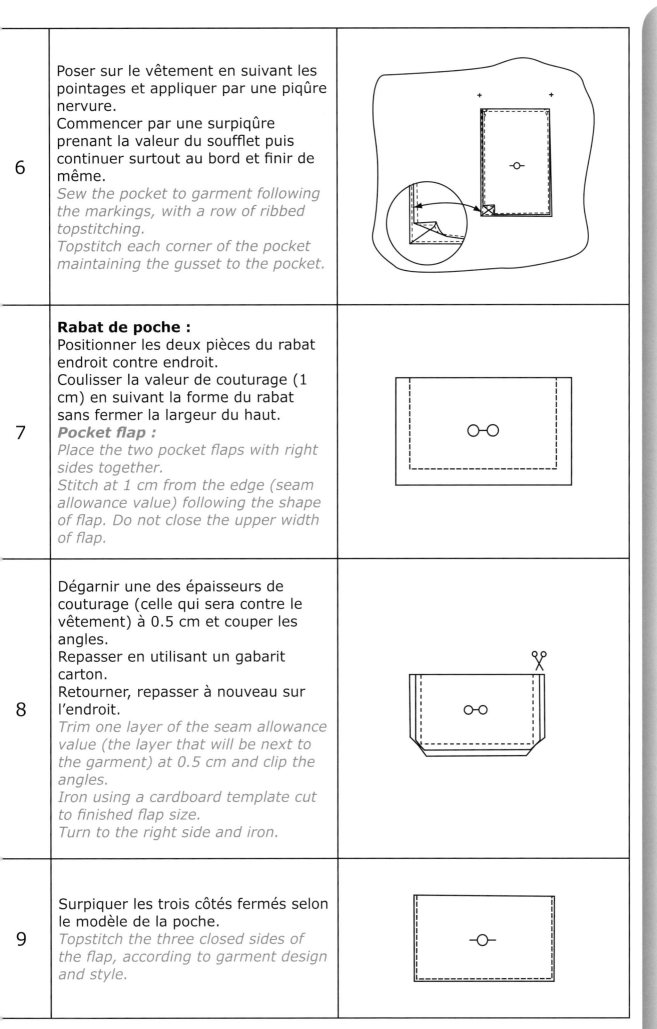

6	Poser sur le vêtement en suivant les pointages et appliquer par une piqûre nervure. Commencer par une surpiqûre prenant la valeur du soufflet puis continuer surtout au bord et finir de même. *Sew the pocket to garment following the markings, with a row of ribbed topstitching.* *Topstitch each corner of the pocket maintaining the gusset to the pocket.*	
7	**Rabat de poche :** Positionner les deux pièces du rabat endroit contre endroit. Coulisser la valeur de couturage (1 cm) en suivant la forme du rabat sans fermer la largeur du haut. **Pocket flap :** *Place the two pocket flaps with right sides together.* *Stitch at 1 cm from the edge (seam allowance value) following the shape of flap. Do not close the upper width of flap.*	
8	Dégarnir une des épaisseurs de couturage (celle qui sera contre le vêtement) à 0.5 cm et couper les angles. Repasser en utilisant un gabarit carton. Retourner, repasser à nouveau sur l'endroit. *Trim one layer of the seam allowance value (the layer that will be next to the garment) at 0.5 cm and clip the angles.* *Iron using a cardboard template cut to finished flap size.* *Turn to the right side and iron.*	
9	Surpiquer les trois côtés fermés selon le modèle de la poche. *Topstitch the three closed sides of the flap, according to garment design and style.*	

... Proportionner l'emplacement de poche

Poches plaquées :

10	Piquer à 1 cm (valeur de couturage) sur toute la largeur du rabat en respectant les points d'arrêt de début et de fin de couture. *Position according to pattern markings and stitch at 1 cm from the edge (seam allowance value) across the flap.* *Backstitch at the beginning and the end of seam.*	
11	Araser le couturage et retourner sur l'endroit. *Trim the seam allowance close to the stitch line and turn the flap to the right side.*	
12	Surpiquer cette couture sur l'endroit du rabat de façon à enfermer la couture proprement (points d'arrêt ou barres de finitions). *Topstitch this seam on the right side of flap in order to enclose the seam allowance.* *Use backstitching or bar tacks at each end.*	
13	Repassage final. *Final ironing.*	

Tracé Poche plaquée à soufflet avec rabat
Outline for patch pocket with gusset and flap

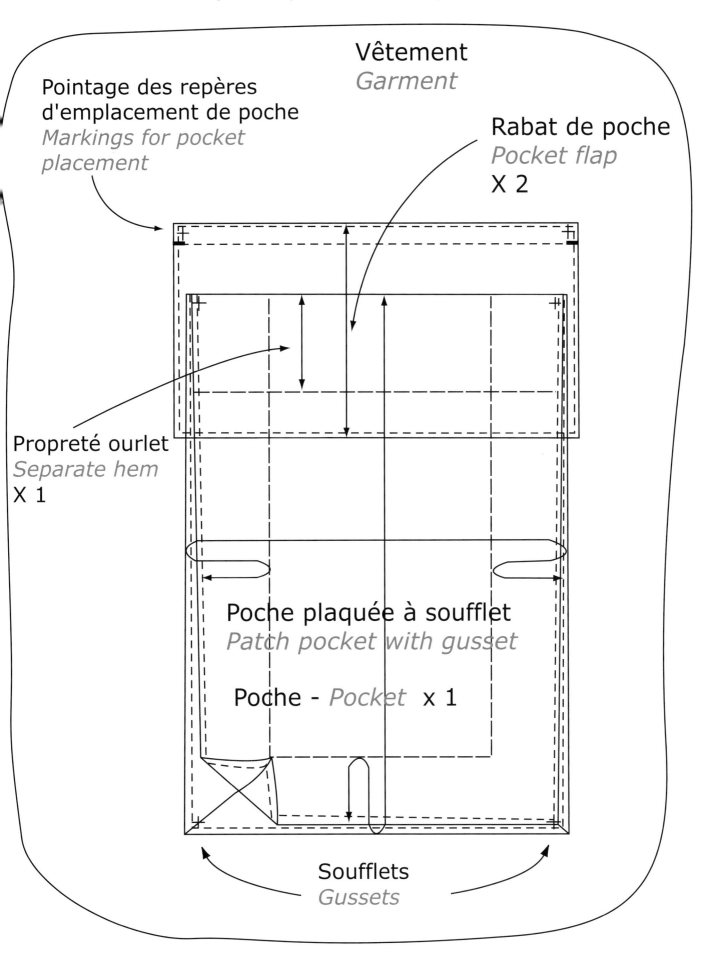

Vêtement
Garment

Pointage des repères d'emplacement de poche
Markings for pocket placement

Rabat de poche
Pocket flap
X 2

Propreté ourlet
Separate hem
X 1

Poche plaquée à soufflet
Patch pocket with gusset

Poche - *Pocket* x 1

Soufflets
Gussets

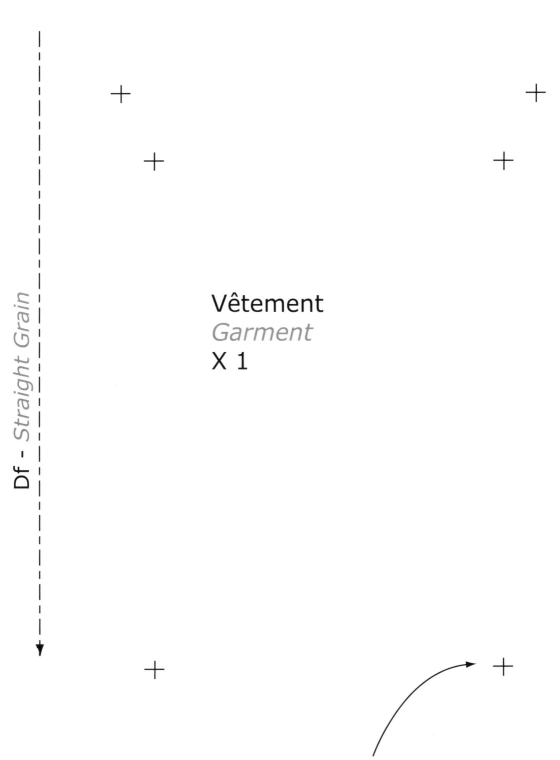

Df - *Straight Grain*

Vêtement
Garment
X 1

Pointage des repères d'emplacement de poche
Markings for pocket placement

Tracé Poche plaquée à soufflet avec rabat
Outline for patch pocket with gusset and flap

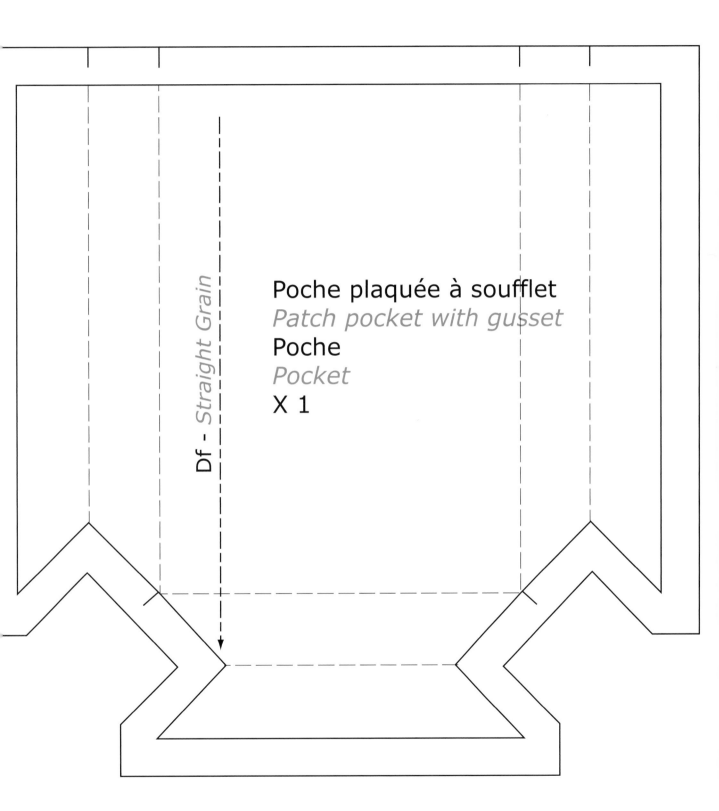

Df - *Straight Grain*

Poche plaquée à soufflet
Patch pocket with gusset
Poche
Pocket
X 1

Tracé Poche plaquée à soufflet avec rabat
Outline for patch pocket with gusset and flap

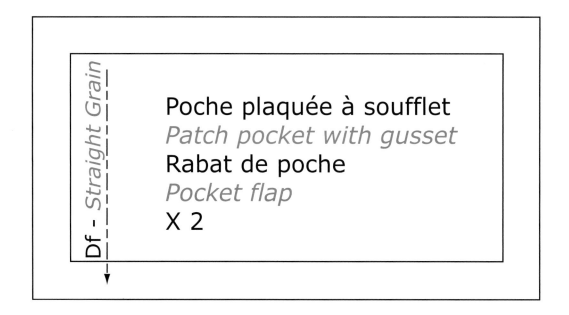

Df - Straight Grain

Poche plaquée à soufflet
Patch pocket with gusset
Propreté ourlet
Separate hem
X 1

Df - Straight Grain

Poche plaquée à soufflet
Patch pocket with gusset
Rabat de poche
Pocket flap
X 2

POCHE PLAQUEE EN FOURREAU
SHEATHED PATCH POCKET

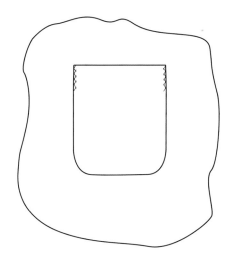

Éléments nécessaires :
- 1 devant
- 1 poche plaquée avec valeur d'ourlet
- 2 doublures de poche

Necessary elements :
- *1 front*
- *1 patch pocket with hem width value*
- *2 pocket linings*

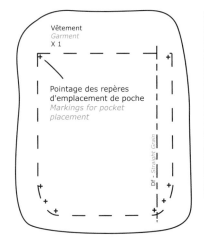

Vêtement
Garment
X 1

Pointage des repères
d'emplacement de poche
Markings for pocket placement

Df - *Straight Grain*

Poche plaquée fourreau
Sheathed patch pocket
Poche - *Pocket*
X 1

Df - *Straight Grain*

Poche plaquée fourreau
Sheathed patch pocket
Doublure - *Lining*
X 2

Df - *Straight Grain*

N°	Opérations *Procedures*	Schémas *Diagrams*
1	Thermocoller l'ourlet de la poche. *Interface the hem width value.*	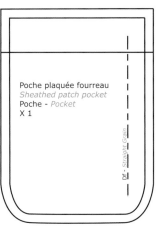 Thermocollage - *Interfacing*

2	Assembler endroit contre endroit le haut de la doublure avec le bas de l'ourlet. Retourner. Repasser les coutures vers la doublure. *With right sides together, assemble the upper part of pocket lining to the lower hemline edge.* *Turn.* *Iron the seam towards the lining.*	Poche - *Pocket* Doublure - *Lining* Doublure - *Lining* Poche - *Pocket*
3	Piquer endroit contre endroit à 1 cm la hauteur de l'ourlet jusqu'à la doublure. *With right sides together, stitch the hem width value on either side, at 1 cm from the edge. Stop seam at lining.*	Doublure *Lining*
4	Dégarnir, cranter en biseau juste avant la doublure. Retourner. *Trim, and clip diagonally just before the lining. Turn pocket.*	Doublure *Lining*
5	Préparer la seconde doublure en retournant la valeur de couturage du haut sur l'envers. Repasser. *Prepare the second piece of lining by folding the upper edge towards the wrong side of lining.* *Iron.*	

6	Poser la seconde doublure sur l'envers de la poche et la première doublure endroit contre endroit. *Place the second piece of lining against the wrong side of pocket. Then place the first piece of lining against the second piece of lining, with right sides together.*	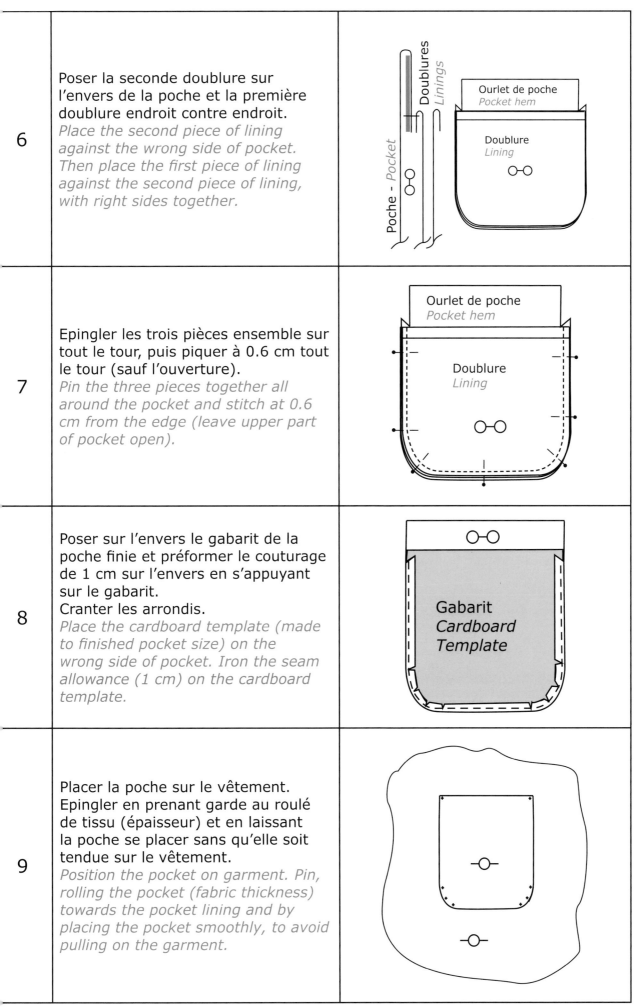
7	Epingler les trois pièces ensemble sur tout le tour, puis piquer à 0.6 cm tout le tour (sauf l'ouverture). *Pin the three pieces together all around the pocket and stitch at 0.6 cm from the edge (leave upper part of pocket open).*	
8	Poser sur l'envers le gabarit de la poche finie et préformer le couturage de 1 cm sur l'envers en s'appuyant sur le gabarit. Cranter les arrondis. *Place the cardboard template (made to finished pocket size) on the wrong side of pocket. Iron the seam allowance (1 cm) on the cardboard template.*	
9	Placer la poche sur le vêtement. Epingler en prenant garde au roulé de tissu (épaisseur) et en laissant la poche se placer sans qu'elle soit tendue sur le vêtement. *Position the pocket on garment. Pin, rolling the pocket (fabric thickness) towards the pocket lining and by placing the pocket smoothly, to avoid pulling on the garment.*	

10	Bâtir sur le vêtement à points glissés solidement. *Hand-baste to garment using a solid slanted hemming stitch.*	
11	Assembler la poche au vêtement en piquant sur la première piqûre de maintien par l'intérieur. Enlever le point de bâti (point glissé). *Assemble the pocket to the garment by opening the pocket and stitching from the inside. Sew over the first row of stitching (Step 7).* *Remove hand-basting (slanted hemming stitch).*	Poche *Pocket* — Point glissé *Slanted hemming stitch* — Doublures - *Linings* — Vêtement *Garment*
12	Repasser. Piquer nervure le haut de la deuxième doublure sur le vêtement afin de cacher le montage interne. *Iron.* *Sew a row of ribbed topstitching to maintain the upper edge of the second lining to the garment. This hides the unfinished edges.*	Piqûre nervure *Ribbed topstitching*
13	Terminer les deux côtés de la poche (valeur d'ourlet) par un petit point de chausson invisible de l'extérieur. *Reinforce the pocket corners with an invisible catch stitch.*	
14	Repassage final. *Final ironing.*	

Tracé Poche plaquée en fourreau
Outline for sheathed pocket

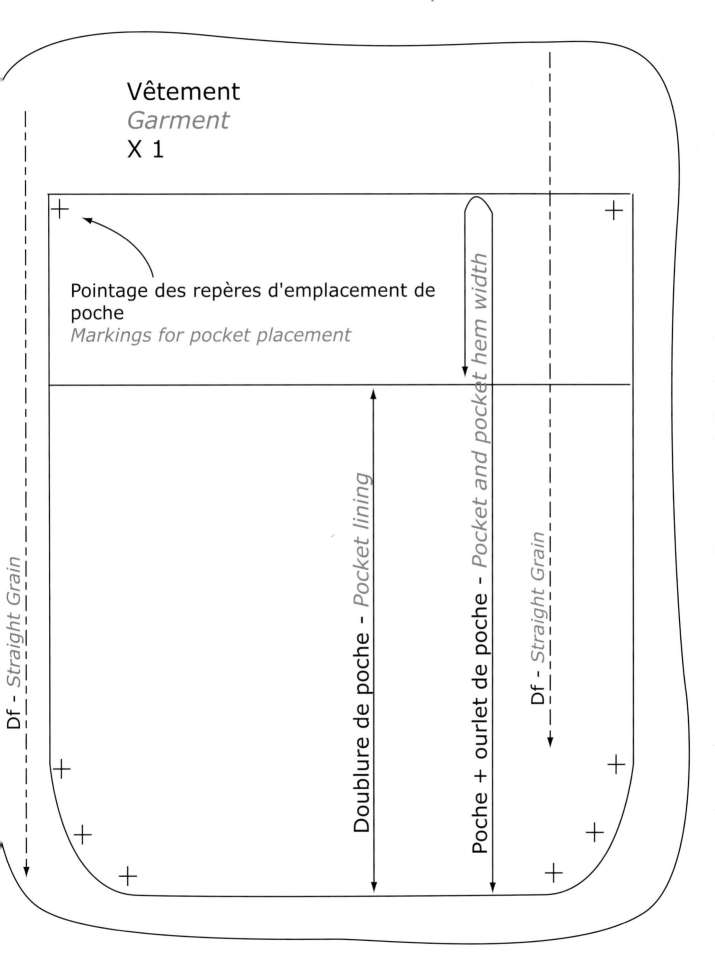

Vêtement
Garment
X 1

Pointage des repères d'emplacement de poche
Markings for pocket placement

Poche + ourlet de poche - *Pocket and pocket hem width*

Doublure de poche - *Pocket lining*

Df - *Straight Grain*

Df - *Straight Grain*

Tracé Poche plaquée en fourreau
Outline for sheathed pocket

Vêtement
Garment
X 1

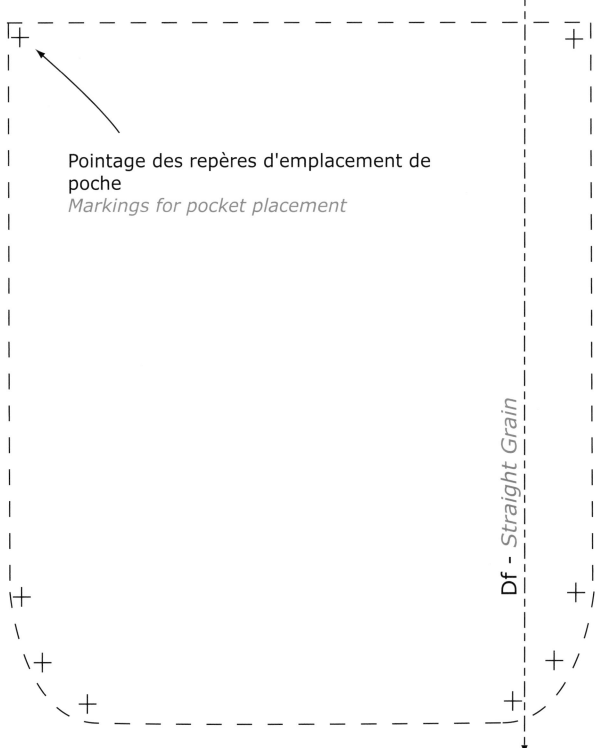

Pointage des repères d'emplacement de poche
Markings for pocket placement

Df - *Straight Grain*

Tracé Poche plaquée en fourreau
Outline for sheathed pocket

Poche plaquée fourreau
Sheathed patch pocket
Poche - *Pocket*
X 1

Df - *Straight Grain*

49

Tracé Poche plaquée en fourreau
Outline for sheathed pocket

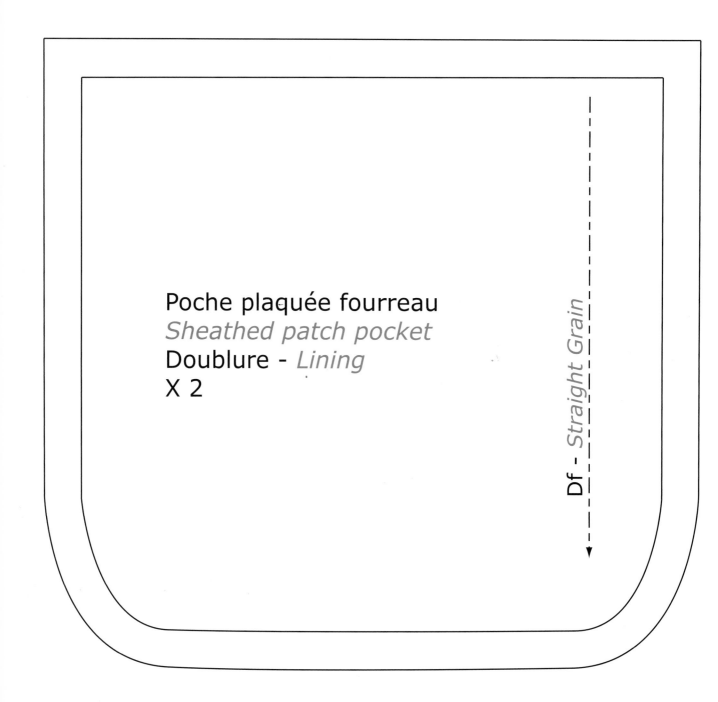

Poche plaquée fourreau
Sheathed patch pocket
Doublure - *Lining*
X 2

Df - *Straight Grain*

POCHE POITRINE "JEAN"
YOKE SEAM POCKET "DENIM JACKET"

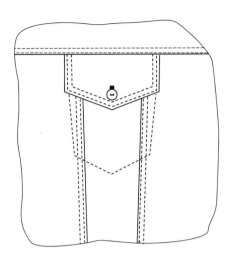

Éléments nécessaires :
- 1 fond de poche X 1
- 1 rabat de poche X 2
- 1 milieu de découpe X 1
- 1 devant milieu X 1
- 1 devant côté X 1
- 1 empiècement X 1

Necessary elements :
- *1 pocket sack X 1*
- *1 pocket flap X 2*
- *1 center seam piece X 1*
- *1 center front piece X 1*
- *1 side front piece X 1*
- *1 yoke X 1*

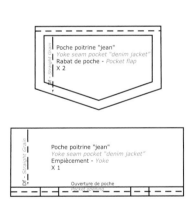

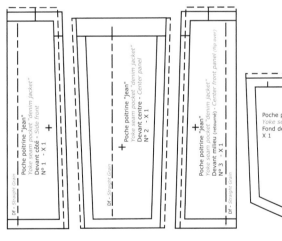

N°	Opérations *Procedures*	Schémas *Diagrams*
1	**Ourlet du haut de poche sur la pièce milieu de poche n°2:** Retourner la valeur de couturage sur l'envers, puis la valeur d'ourlet. Repasser. *Hem on the upper edge of center seam piece N° 2 : Turn the seam allowance value and the hem width value to the wrong side of fabric. Iron.*	

2	Piquer nervure l'ourlet de haut de poche sur toute sa largeur. *Sew the hem with a row of ribbed topstitching.*	
3	Assembler endroit contre endroit les morceaux N°1 et 2, puis N°2 et 3 en coutures décalées au cornet (Voir COUTURE DECALEE AU CORNET) en positionnant le haut de l'ourlet face aux crans des pièces adjacentes. Surpiquer double d'abord en piqûre nervure puis à 7 mm de cette première piqûre. *With right sides together, assemble pieces N°1 and N°2, then N°2 and N°3 with a shifted felled seam. (See SHIFTED FELLED SEAM.)* *Match the hemline edge (N°3) to notches on the adjacent pieces (N°2 and N°4).* *Double topstitch the seams (one row of ribbed topstitching, then a second row of topstitching at 7mm from the 1st row).*	
4	Surfiler les trois côtés de la poche. Ou Préparer la poche en retournant le couturage des trois côtés (sauf le haut) sur l'endroit (utilisation d'un gabarit poche finie en carton). Repasser ces couturages. *Overlock the three outer pocket edges.* *Or:* *Prepare the pocket by ironing the seam allowances (except upper edge) over a cardboard template cut to finished pocket size.* *Iron the seam allowances.*	Ou - *Or*

5	Positionner le fond de poche sur l'envers du vêtement à cheval sur les parties 1, 2 et 3. Veillez à bien équilibrer le milieu de poche et les angles en suivant les pointages et les crans. Surpiquer nervure sur le surfilage ou au bord de la poche préparée avec les couturages retournés. *Place the pocket sack on the wrong side of the garment astride pieces N°2, N°3, and N°4.* *Verify that the pocket center and angles are placed exactly on garment markings and notches.*	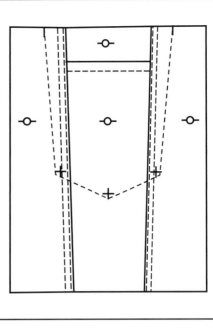
6	Piquer une barre en zigzag de chaque côté de l'ouverture de poche. Attention : Toute la solidité de la poche plaquée réside dans les finitions d'ouverture. *Stitch a bar tack on each side of the pocket opening.* *Note : The pocket solidity depends on the finishing used on the pocket opening.*	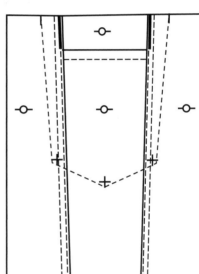
7	**Rabat de poche :** Positionner les deux pièces du rabat endroit contre endroit. Piquer la valeur de couturage (1 cm) en suivant la forme du rabat sans fermer la largeur du haut. ***Pocket flap :*** *Place the two pocket flaps with right sides together.* *Stitch at 1 cm from the edge (seam allowance value) following the shape of flap. Do not close the upper width of flap.*	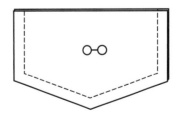

Poches dans les coutures :

8	Dégarnir une des épaisseurs de couturage (celle qui sera contre le vêtement) à 0.5 cm et couper les angles. Repasser en utilisant un gabarit carton. Retourner, repasser à nouveau sur l'endroit du tissu. *Trim one layer of the seam allowance value (the layer that will be next to the garment) at 0.5 cm and clip the angles.* *Iron using a cardboard template.* *Turn, iron again on the right side of fabric.*	
9	Surpiquer les trois côtés fermés selon le modèle de la poche. *Topstitch the three closed sides of the flap according to the pocket design and style.*	
10	Broder une boutonnière verticale sur le rabat de poche. *Make a vertical buttonhole on the pocket flap.*	
11	Placer le haut du rabat endroit contre endroit du bas de l'empièœment en respectant le positionnement prévu dans le gabarit. Epingler. *Place the upper edge of the pocket flap (right side of fabric) on the right side of the lower yoke edge matching notches.* *Pin.*	
12	Positionner le bas de l'empièœment endroit contre endroit du montage précédent et assembler en couture décalée au cornet. *With right sides together, assemble the lower yoke edge to the front pieces (Step 11) using a shifted felled seam.*	

54

13	Poser le bouton sur le milieu de découpe en face de la boutonnière. *Sew the button opposite the buttonhole on the center panel.*	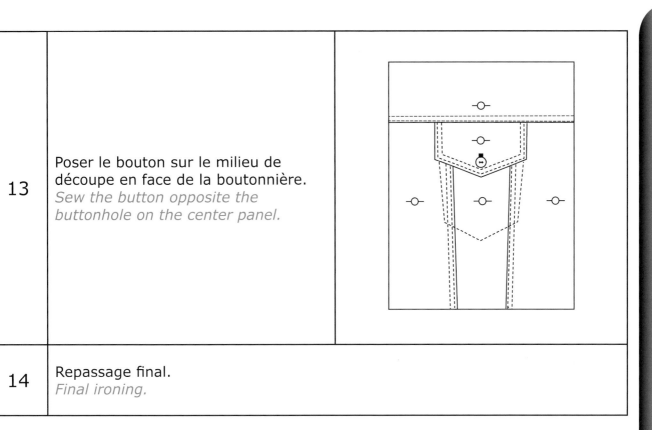
14	Repassage final. *Final ironing.*	

OTES /

Tracé Poche poitrine "jean"
Outline for yoke seam pocket "denim jacket"

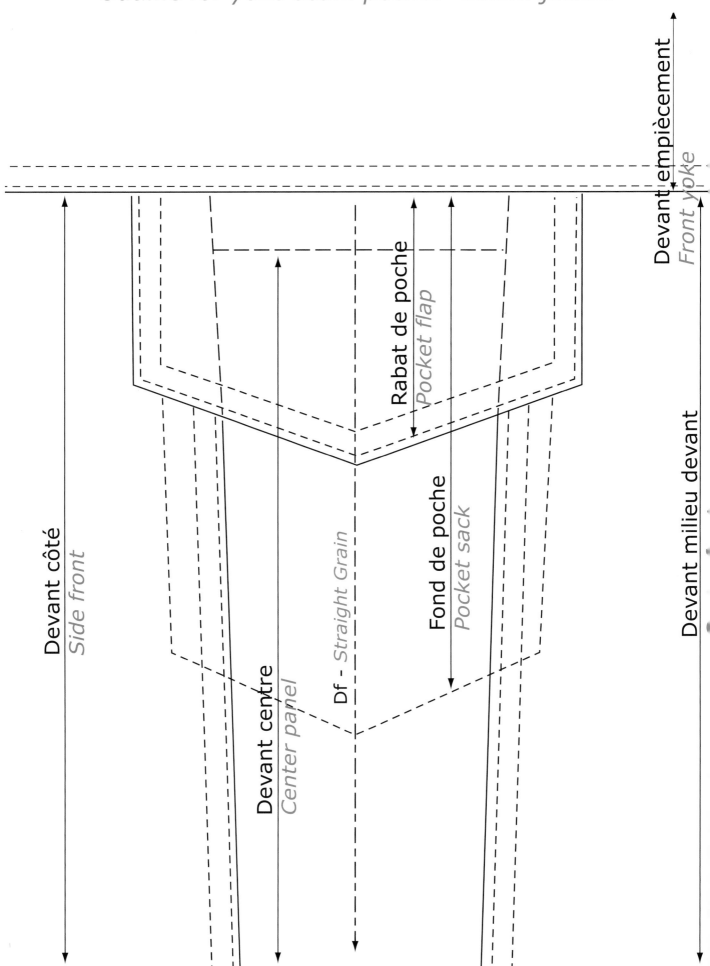

Devant empièçement
Front yoke

Rabat de poche
Pocket flap

Fond de poche
Pocket sack

Devant côté
Side front

Devant centre
Center panel

Df - *Straight Grain*

Devant milieu devant

Tracé Poche poitrine "jean"
Outline for yoke seam pocket "denim jacket"

Couturage en couture décalée au cornet
Shifted felled seams

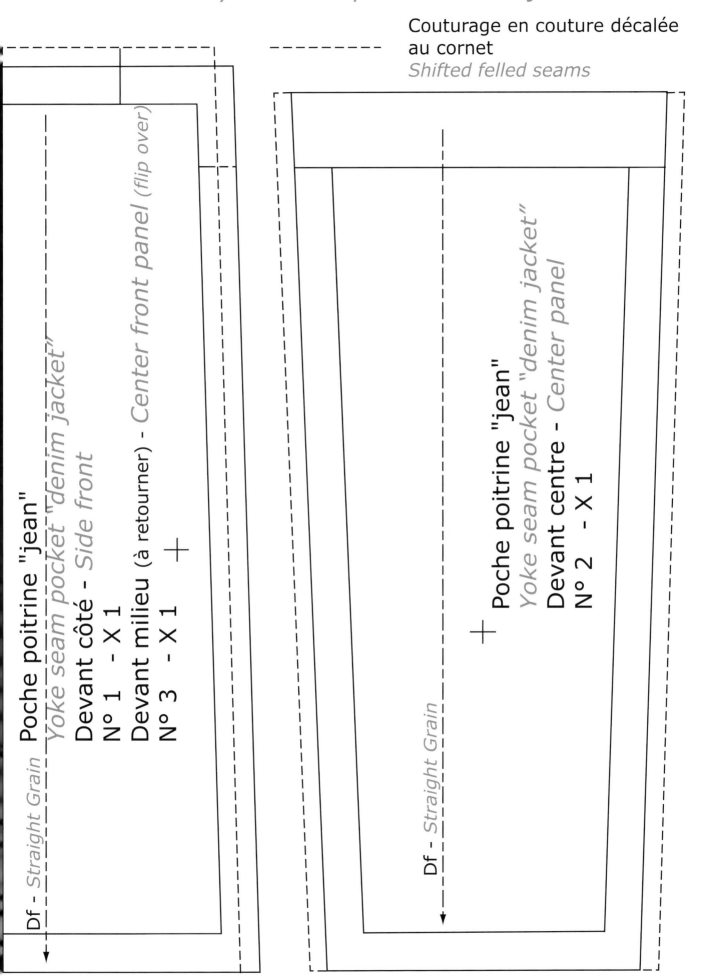

Df - *Straight Grain*

Poche poitrine "jean"
Yoke seam pocket "denim jacket"
Devant côté - Side front
N° 1 - X 1
Devant milieu (à retourner) - Center front panel *(flip over)*
N° 3 - X 1

Poche poitrine "jean"
Yoke seam pocket "denim jacket"
Devant centre - Center panel
N° 2 - X 1

Df - *Straight Grain*

Df - *Straight Grain*

Poche poitrine "jean"
Yoke seam pocket "denim jacket"
Empiècement - *Yoke*
X 1

Ouverture de poche
Pocket opening

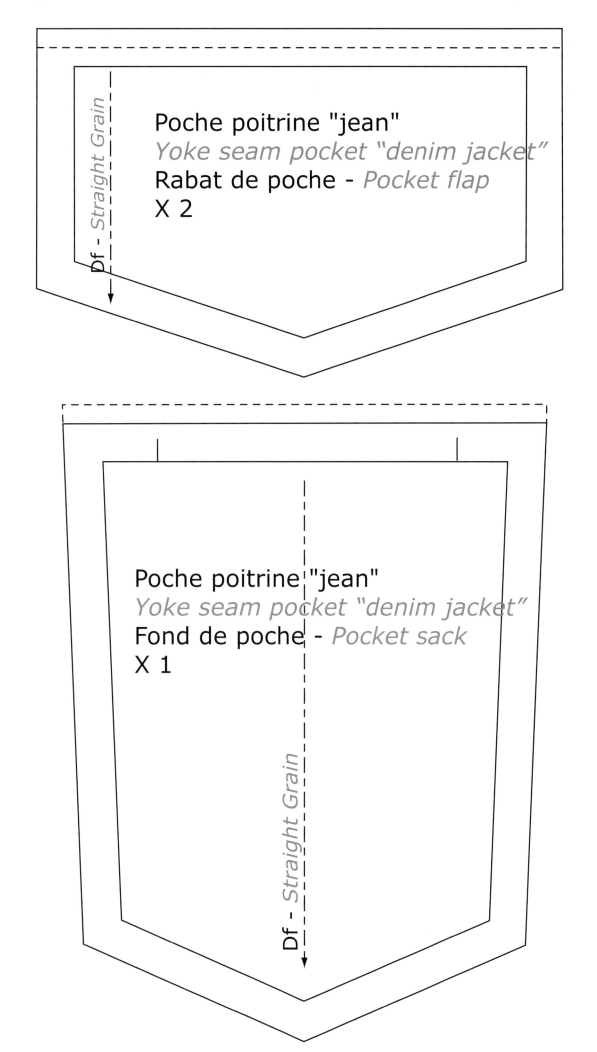

Tracé Poche poitrine "jean"
Outline for yoke seam pocket "denim jacket"

Df - *Straight Grain*

Poche poitrine "jean"
Yoke seam pocket "denim jacket"
Rabat de poche - *Pocket flap*
X 2

Poche poitrine "jean"
Yoke seam pocket "denim jacket"
Fond de poche - *Pocket sack*
X 1

Df - *Straight Grain*

POCHE QUART DE ROND "JEANS"
FRONT HIP POCKET "JEANS"

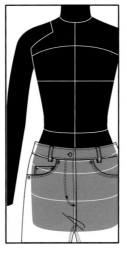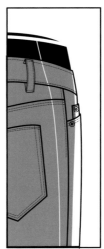

Eléments nécessaires :
- 1 devant
- 1 fond de poche
- 1 garniture de fond de poche
- 1 poche briquet

Necessary elements :
- *1 front*
- *1 pocket sack (pocketing fabric)*
- *1 fabric pocket facing*
- *1 watch pocket*

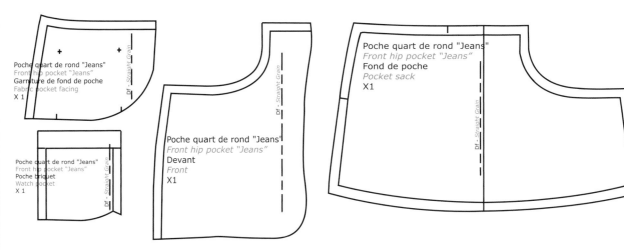

Poche quart de rond "Jeans"
Front hip pocket "Jeans"
Garniture de fond de poche
Fabric pocket facing
X 1

Poche quart de rond "Jeans"
Front hip pocket "Jeans"
Poche briquet
Watch pocket
X 1

Poche quart de rond "Jeans"
Front hip pocket "Jeans"
Devant
Front
X1

Poche quart de rond "Jeans"
Front hip pocket "Jeans"
Fond de poche
Pocket sack
X1

N°	Opérations *Procedures*	Schémas *Diagrams*
1	**Poche briquet :** Préparer au fer le double rempli du haut de poche. Piquer en double surpiqûre. *Watch pocket : Iron to prepare the double hem along the upper edge of the watch pocket. Stitch hem with double topstitching.*	

60

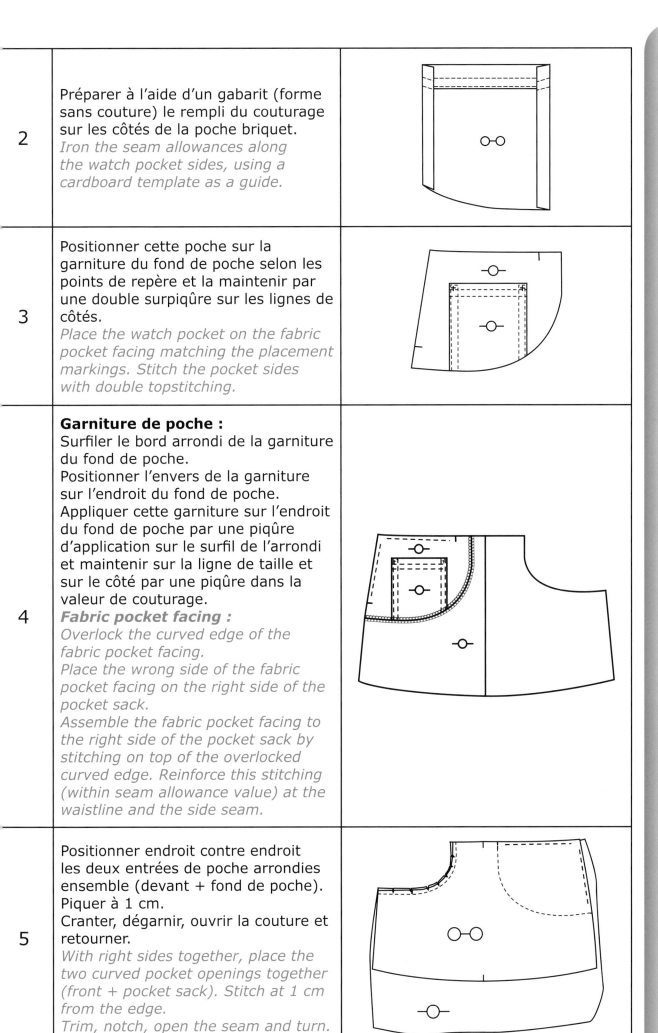

2	Préparer à l'aide d'un gabarit (forme sans couture) le rempli du couturage sur les côtés de la poche briquet. *Iron the seam allowances along the watch pocket sides, using a cardboard template as a guide.*	
3	Positionner cette poche sur la garniture du fond de poche selon les points de repère et la maintenir par une double surpiqûre sur les lignes de côtés. *Place the watch pocket on the fabric pocket facing matching the placement markings. Stitch the pocket sides with double topstitching.*	
4	**Garniture de poche :** Surfiler le bord arrondi de la garniture du fond de poche. Positionner l'envers de la garniture sur l'endroit du fond de poche. Appliquer cette garniture sur l'endroit du fond de poche par une piqûre d'application sur le surfil de l'arrondi et maintenir sur la ligne de taille et sur le côté par une piqûre dans la valeur de couturage. ***Fabric pocket facing :*** *Overlock the curved edge of the fabric pocket facing.* *Place the wrong side of the fabric pocket facing on the right side of the pocket sack.* *Assemble the fabric pocket facing to the right side of the pocket sack by stitching on top of the overlocked curved edge. Reinforce this stitching (within seam allowance value) at the waistline and the side seam.*	
5	Positionner endroit contre endroit les deux entrées de poche arrondies ensemble (devant + fond de poche). Piquer à 1 cm. Cranter, dégarnir, ouvrir la couture et retourner. *With right sides together, place the two curved pocket openings together (front + pocket sack). Stitch at 1 cm from the edge.* *Trim, notch, open the seam and turn.*	

6	Surpiquer double l'entrée de poche. *Double topstitching along pocket opening.*	
7	Plier envers contre envers le fond de poche en respectant les crans de pliure de milieu de poche. Piquer à 0.5 cm. Puis retourner le couturage sur l'endroit, repasser et piquer à nouveau à 0.7 cm (voir COUTURE ANGLAISE). *With wrong sides together, fold the pocket sack matching notches along the foldline. Stitch at 0.5 cm. Turn the seam allowance on the right side, iron and stitch again at 0.7 cm. (See FRENCH SEAM.)*	
8	Placer le fond de poche en empreinte sur la ligne de côté et de taille du vêtement et maintenir par une piqûre ou par un surfilage. *Align the pocket sack to the garment's side seam and waistline. Stitch together with a plain stitch or overlocking.*	
9	Repassage final. *Final ironing.*	

Tracé Poche quart de rond "Jeans"
Outline for front hip pocket "Jeans"

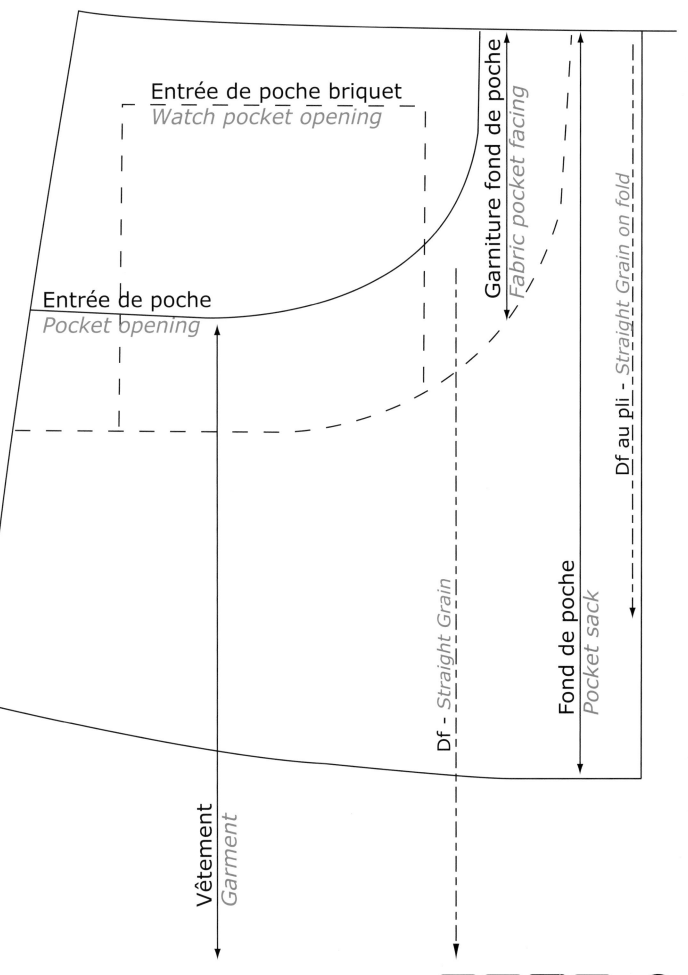

Entrée de poche briquet
Watch pocket opening

Entrée de poche
Pocket opening

Garniture fond de poche
Fabric pocket facing

Df au pli - *Straight Grain on fold*

Df - *Straight Grain*

Fond de poche
Pocket sack

Vêtement
Garment

Tracé Poche quart de rond "Jeans"
Outline for front hip pocket "Jeans"

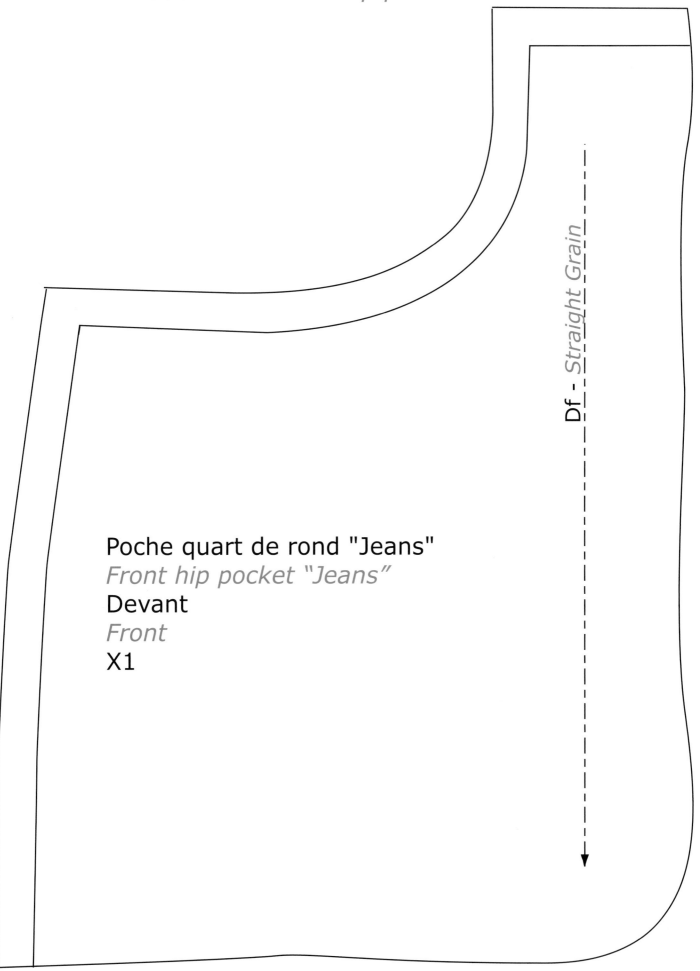

Df - *Straight Grain*

Poche quart de rond "Jeans"
Front hip pocket "Jeans"
Devant
Front
X1

Tracé Poche quart de rond "Jeans"
Outline for front hip pocket "Jeans"

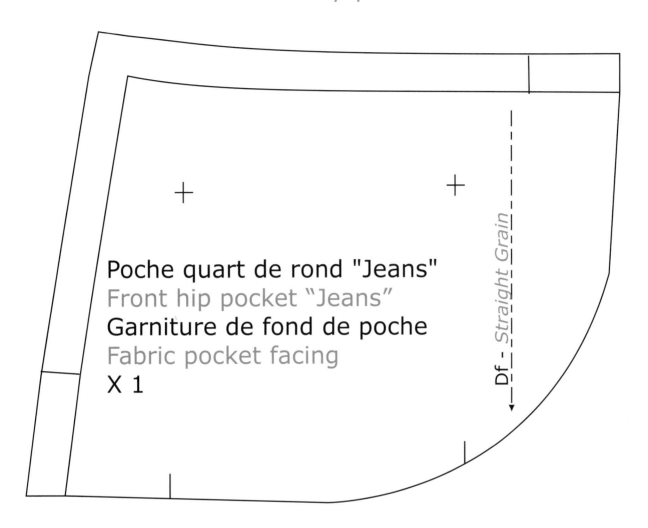

Poche quart de rond "Jeans"
Front hip pocket "Jeans"
Garniture de fond de poche
Fabric pocket facing
X 1

Df – *Straight Grain*

Poche quart de rond "Jeans"
Front hip pocket "Jeans"
Poche briquet
Watch pocket
X 1

Df – *Straight Grain*

Tracé Poche quart de rond "Jeans"
Outline for front hip pocket "Jeans"

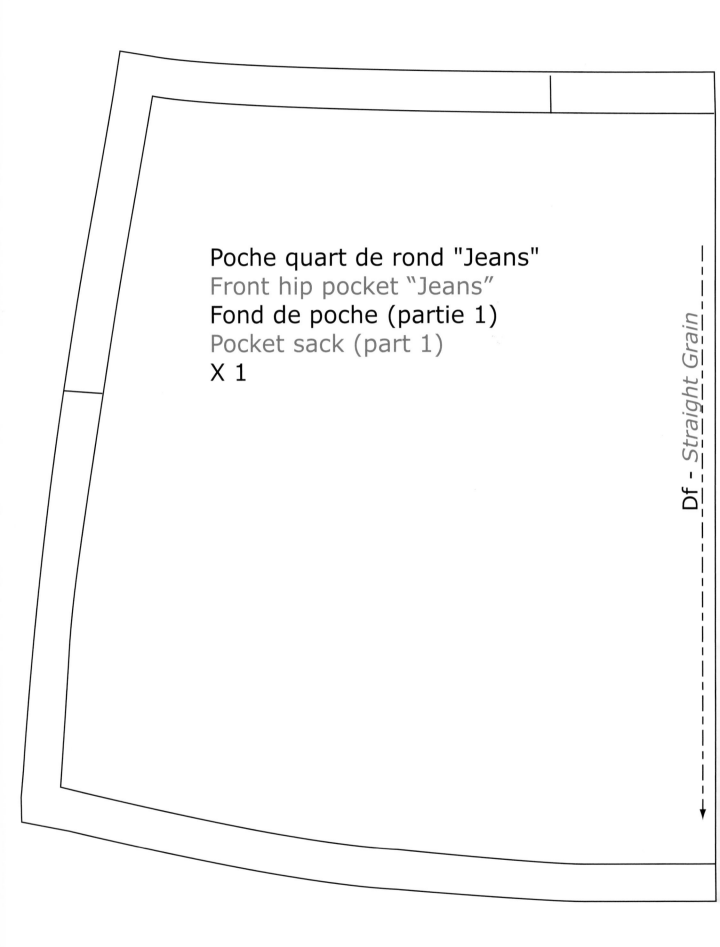

Poche quart de rond "Jeans"
Front hip pocket "Jeans"
Fond de poche (partie 1)
Pocket sack (part 1)
X 1

Df - *Straight Grain*

Tracé Poche quart de rond "Jeans"
Outline for front hip pocket "Jeans"

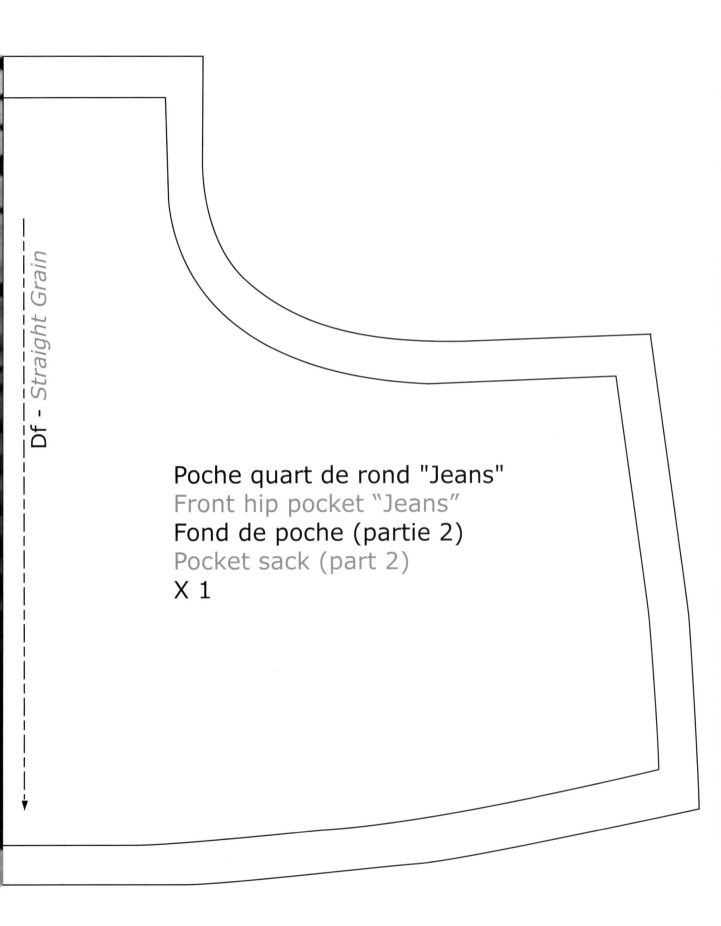

Df - *Straight Grain*

Poche quart de rond "Jeans"
Front hip pocket "Jeans"
Fond de poche (partie 2)
Pocket sack (part 2)
X 1

POCHE ITALIENNE
SLANT POCKET

Eléments nécessaires :
- 1 haut de jupe ou de pantalon avec entrée de poche (tissu)
- 1 garniture pour le fond de poche (tissu)
- 1 sac de poche (tissu)
- 1 fond de poche (percaline ou doublure)

Necessary elements :
- *1 upper part of skirt or trousers (fabric) with pocket opening*
- *1 pocket facing (fabric)*
- *1 pocket sack (fabric)*
- *1 pocket sack (pocketing fabric or lining)*

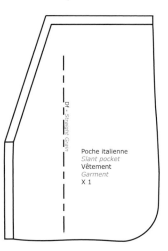

Poche italienne
Slant pocket
Vêtement
Garment
X 1

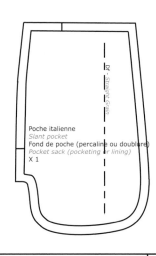

Poche italienne
Slant pocket
Fond de poche (percaline ou doublure)
Pocket sack (pocketing or lining)
X 1

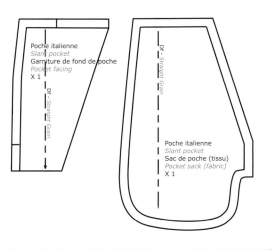

Poche italienne
Slant pocket
Garniture de fond de poche
Pocket facing
X 1

Poche italienne
Slant pocket
Sac de poche (tissu)
Pocket sack (fabric)
X 1

N°	Opérations *Procedures*	Schémas *Diagrams*
1	**Garniture de poche :** Surfiler les lignes A et B avant l'application de la pièce sur le fond de poche en percaline ou en doublure. ***Pocket facing :** Overlock lines A and B before assembly to pocket sack (pocketing or lining).*	garniture *facing* A B

Positionner l'entrée de poche ...

Poches dans les coutures :

68

2	Positionner la garniture sur le fond de poche envers contre endroit et appliquer par une piqûre au bord dans la partie surfil. *Place the wrong side of the facing on the right side of the pocket sack (pocketing or lining). Stitch along the facing edge on top of the overlocking.*	
3	Assembler endroit contre endroit l'ouverture du sac de poche sur celle du vêtement. *With right sides together, assemble the pocket sack (fabric) to the garment along pocket opening.*	
4	A cette étape, on peut additionner la pose d'un passement de droit fil coupé préalablement à la longueur de l'ouverture finie pour empêcher la déformation de l'ouverture dans le biais. *At this step, stay tape can be added to the (bias cut) pocket opening to prevent it from stretching out of shape.*	Df - *SG*
5	Repasser coutures ouvertes et dégarnir le couturage du sac de poche à 0.5 cm. *Iron seam open and trim the pocket sack seam allowance 0.5 cm.*	

6	Retourner, repasser. Surpiquer nervure l'ouverture. N.B. Le choix de la surpiqûre dépend du modèle. *Turn. Iron.* *Sew a row of ribbed topstitching along pocket opening edge.* *Note: Choose topstitching according to garment design and style.*	
7	Positionner le fond de poche endroit contre endroit du sac de poche et assembler en suivant la valeur de couturage prévue. Surfiler les deux épaisseurs de fonds de poche ensemble (ligne A). N.B. L'assemblage des fonds et sacs de poche peuvent se faire en couture anglaise (voir COUTURE ANGLAISE). *With right sides together, assemble the pocket sack (pocketing or lining) to the fabric pocket sack, following the seam allowance value.* *Overlock the two pocket sacks together (line A).* *Note: It is possible to assemble the two pocket sacks with a French seam. (See FRENCH SEAM.)*	A
8	Caler le fond de poche sur le vêtement par une piqûre sur les lignes de côté et de taille pour faciliter le montage ultérieur du vêtement. *Align the pocket sack with the garment's side seam and waistline and stitch together. This is to facilitate further garment assembly.*	
9	Repassage final. *Final ironing.*	

La poche italienne peut être fabriquée avec de nombreuses variantes choisies en fonction du modèle ou de l'épaisseur des textiles employés.
The slant pocket can be manufactured with many different variations. Choose according to the fabric thickness, garment design and style.

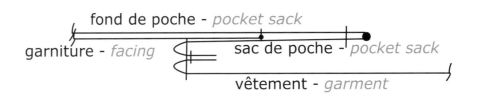

fond de poche - *pocket sack*

garniture - *facing*　　　sac de poche - *pocket sack*

vêtement - *garment*

Tracé Poche italienne (femme)
Outline for women's slant pocket

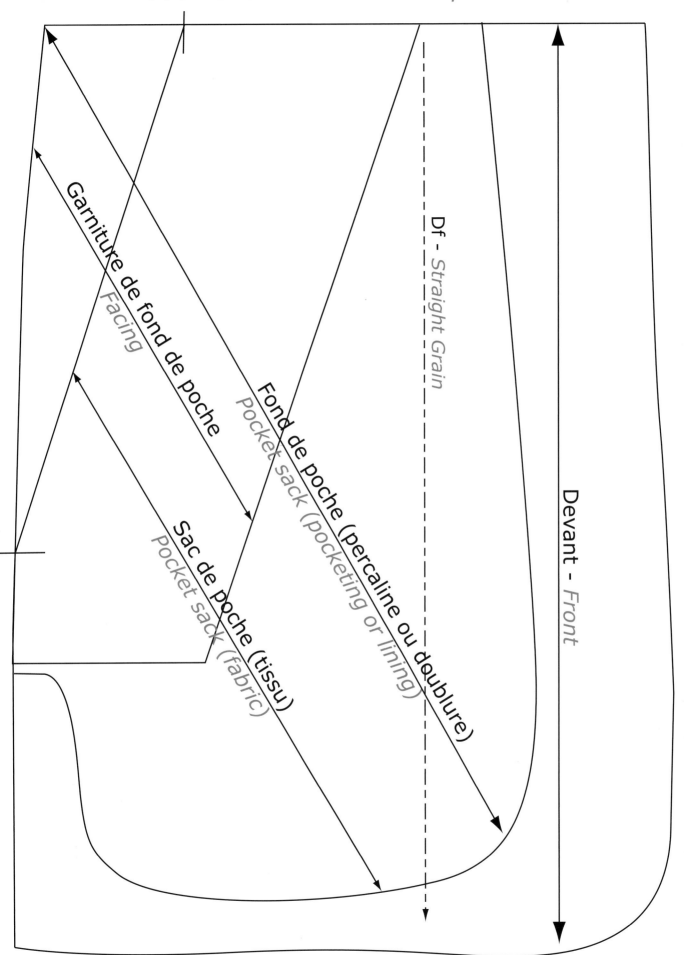

Garniture de fond de poche
Facing

Fond de poche
Pocket sack (pocketing or lining)

Fond de poche (percaline ou doublure)
Pocket sack (pocketing or lining)

Sac de poche (tissu)
Pocket sack (fabric)

Df - *Straight Grain*

Devant - *Front*

Tracé Poche italienne (femme)
Outline for women's slant pocket

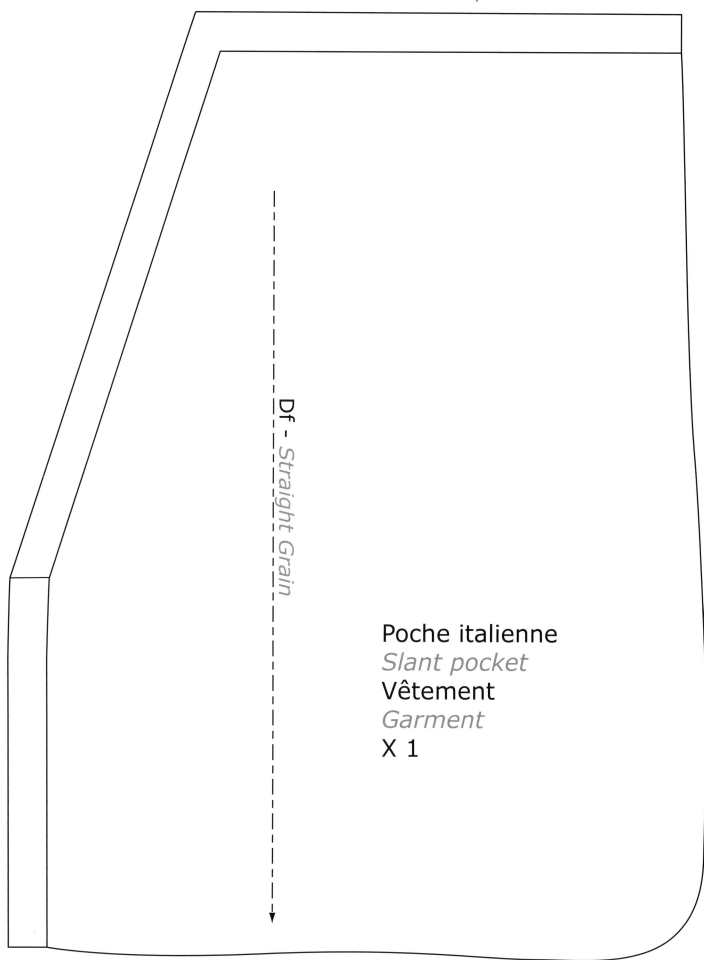

Df - *Straight Grain*

Poche italienne
Slant pocket
Vêtement
Garment
X 1

Tracé Poche italienne (femme)
Outline for women's slant pocket

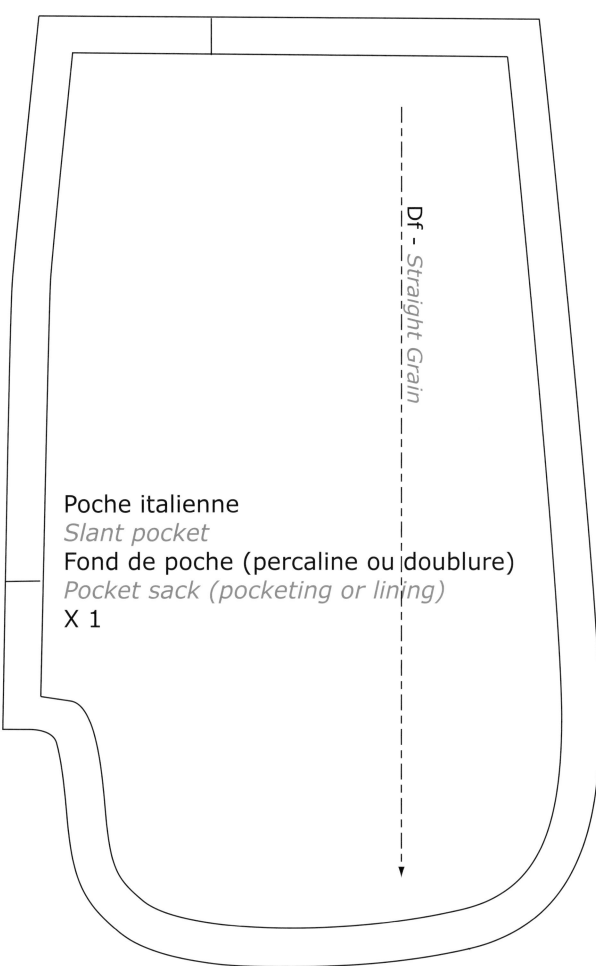

Df - *Straight Grain*

Poche italienne
Slant pocket
Fond de poche (percaline ou doublure)
Pocket sack (pocketing or lining)
X 1

Tracé Poche italienne (femme)
Outline for women's slant pocket

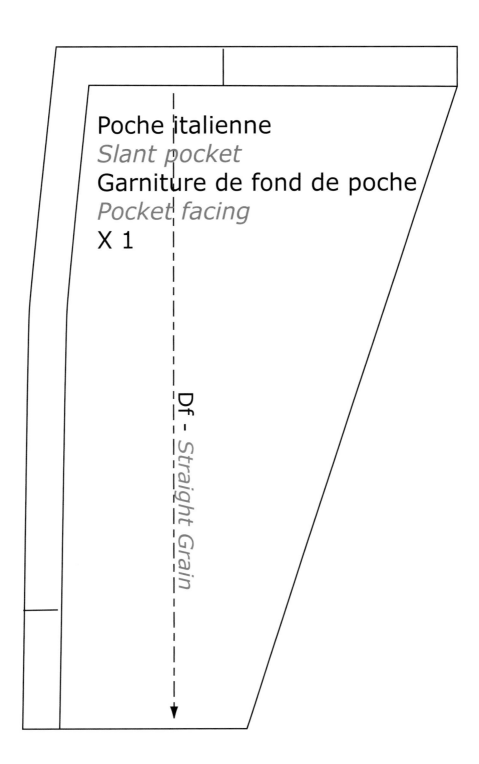

Poche italienne
Slant pocket
Garniture de fond de poche
Pocket facing
X 1

Df - *Straight Grain*

Tracé Poche italienne (femme)
Outline for women's slant pocket

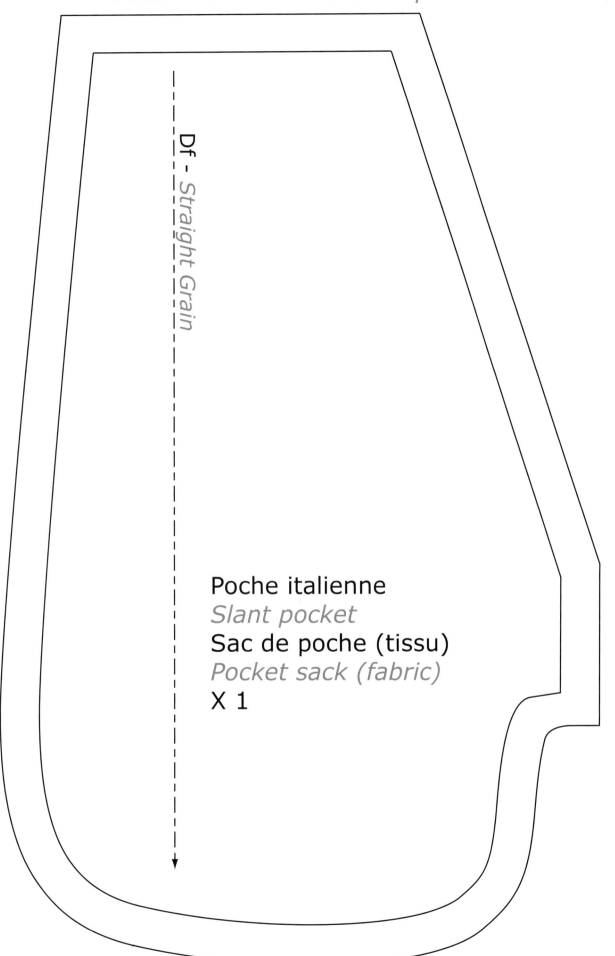

Df - *Straight Grain*

Poche italienne
Slant pocket
Sac de poche (tissu)
Pocket sack (fabric)
X 1

POCHE ITALIENNE (Pantalon homme)
SLANT POCKET (men's trousers)

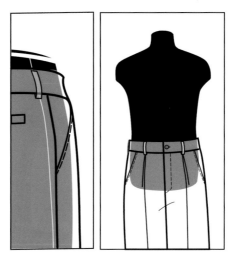

Eléments nécessaires :
- 1 haut de pantalon avec crans d'entrée de poche (tissu)
- 1 garniture pour le fond de poche (tissu)
- 1 sac de poche (poltaise ou percale de coton)
- 1 fond de poche (poltaise ou percale de coton

Necessary elements :
- *1 upper part of trousers with notches marking pocket opening*
- *1 pocket facing (fabric)*
- *1 pocket sack (pocketing or cotton percale)*
- *1 pocket lining (pocketing or cotton percale)*

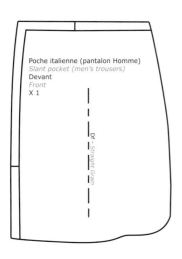

Poche italienne (pantalon Homme)
Slant pocket (men's trousers)
Devant
Front
X 1

Df - Straight Grain

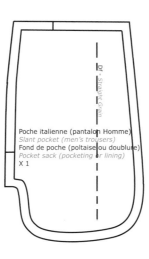

Poche italienne (pantalon Homme)
Slant pocket (men's trousers)
Fond de poche (poltaise ou doublure)
Pocket sack (pocketing or lining)
X 1

Df - Straight Grain

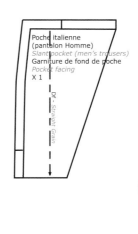

Poche italienne
(pantalon Homme)
Slant pocket (men's trousers)
Garniture de fond de poche
Pocket facing
X 1

Df - Straight Grain

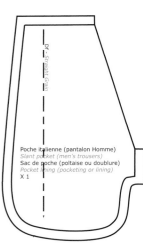

Df - Straight Grain

Poche italienne (pantalon Homme)
Slant pocket (men's trousers)
Sac de poche (poltaise ou doublure)
Pocket lining (pocketing or lining)
X 1

N°	**Opérations** *Procedures*	**Schémas** *Diagrams*
1	**Garniture de poche :** Surfiler les lignes A et B avant l'application de la pièce sur le fond de poche en percaline ou en poltaise. *Pocket facing : Overlock lines A and B before assembly to pocket sack (pocketing or lining).*	garniture *facing* A B

2	Positionner la garniture sur le fond de poche envers contre endroit et appliquer par une piqûre au bord dans la partie surfil. *Place the wrong side of the facing on to the right side of the pocket lining. Stitch along the facing edge on top of the overlocking.*	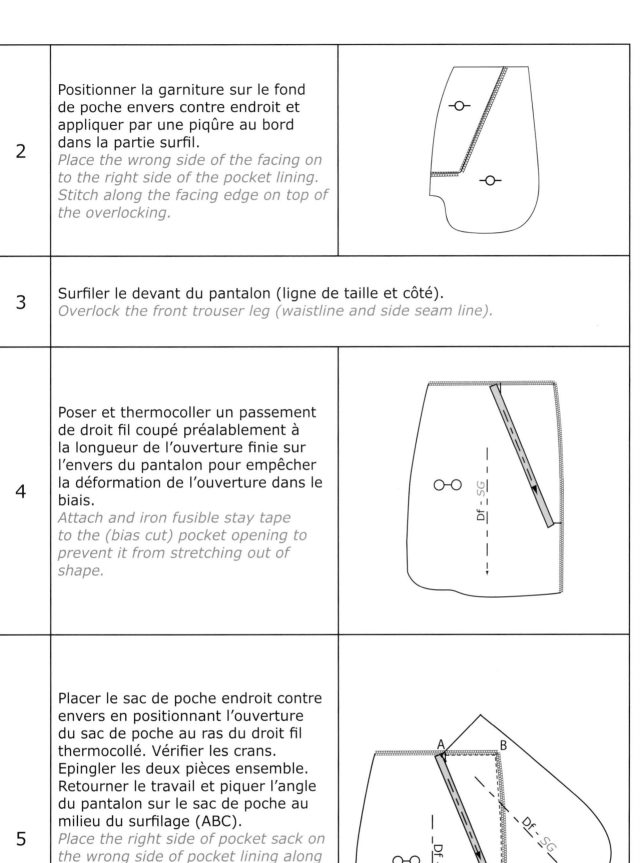
3	Surfiler le devant du pantalon (ligne de taille et côté). *Overlock the front trouser leg (waistline and side seam line).*	
4	Poser et thermocoller un passement de droit fil coupé préalablement à la longueur de l'ouverture finie sur l'envers du pantalon pour empêcher la déformation de l'ouverture dans le biais. *Attach and iron fusible stay tape to the (bias cut) pocket opening to prevent it from stretching out of shape.*	
5	Placer le sac de poche endroit contre envers en positionnant l'ouverture du sac de poche au ras du droit fil thermocollé. Vérifier les crans. Epingler les deux pièces ensemble. Retourner le travail et piquer l'angle du pantalon sur le sac de poche au milieu du surfilage (ABC). *Place the right side of pocket sack on the wrong side of pocket lining along the edge of stay tape. Verify notches. Pin the two pieces together. Turn. Stitch along the angle on upper part of trousers (pocket lining) on the pocket sack in the middle of the overlocking (ABC).*	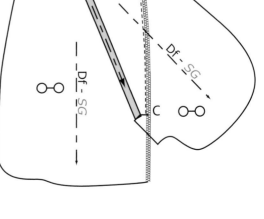

Poches dans les coutures :

6	Cranter le départ et l'arrivée de poche et retourner le sac de poche sur l'envers du pantalon. *Clip at the beginning and at the end of pocket opening and turn the pocket sack to the wrong side of trousers.*	
7	Retourner le travail sur l'endroit et surpiquer l'entrée de poche à 0.7 cm du bord d'ouverture. *Turn to the right side of fabric and topstitch the pocket opening at 0.7 cm from the edge.*	
8	Surfiler la ligne de côté du fond de poche et positionner le fond de poche sous le sac de poche et vérifier la correspondance des rayures, s'il y a lieu. *Overlock the pocket lining side seam and place the pocket lining under the pocket sack and match stripes, if required.*	
9	Positionner ensuite le fond de poche entre le sac de poche et le pantalon (envers du sac de poche contre envers du fond de poche) pour faire une couture anglaise. Faire une première piqûre à 0.5 cm. *Place the pocket lining between the pocket sack and the trousers (the wrong side of the pocket sack against the wrong side of the pocket lining) to prepare a French seam.* *The first row of stitching is at 0.5 cm from the edge.*	

10	Retourner, repasser et faire la deuxième piqûre endroit contre endroit à 0.7 cm. *Turn and iron. With right sides together, sew the second row of stitching at 0.7 cm.*
11	Maintenir le fond de poche à l'ouverture du pantalon par une piqûre à la taille et au côté. *To maintain the pocket lining to the trousers, stitch at waistline and side seam.* 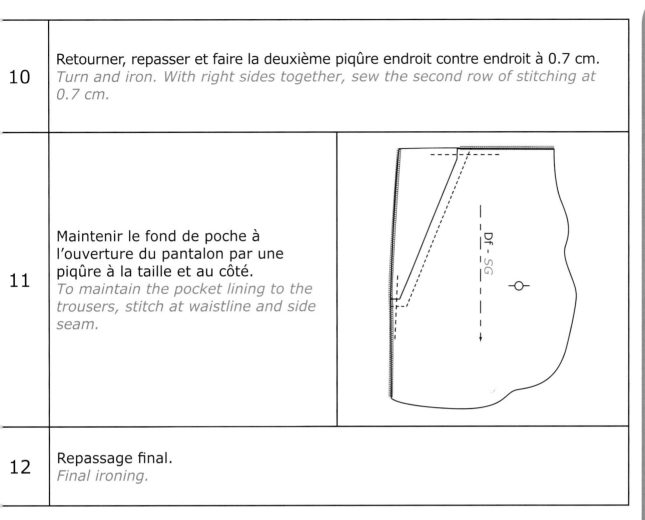
12	Repassage final. *Final ironing.*

OTES /

Tracé Poche italienne (homme)
Outline for slant pocket (men's trousers)

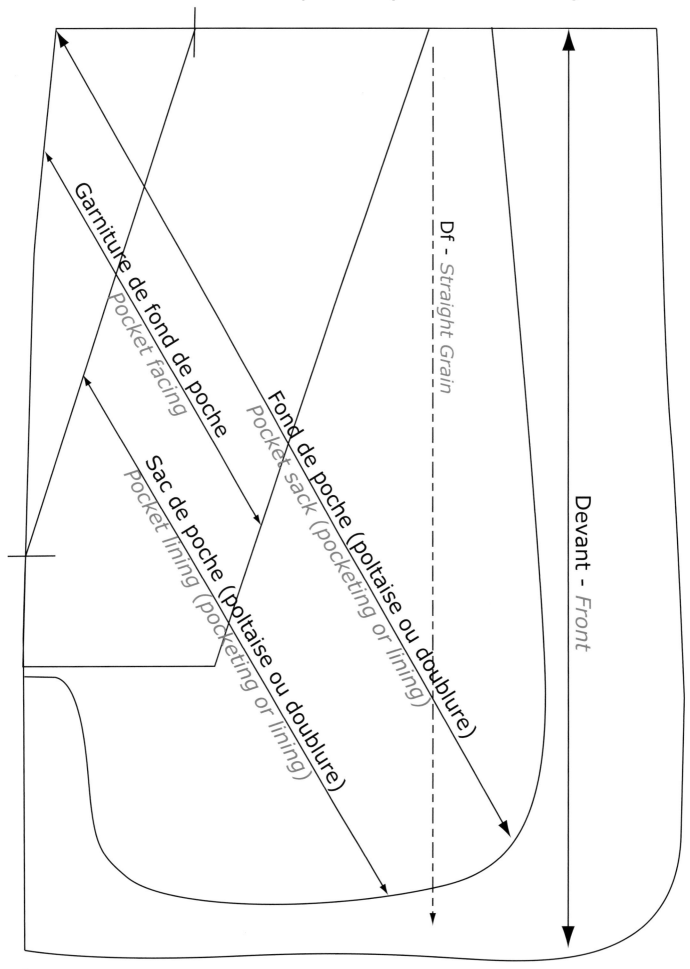

Garniture de fond de poche
Pocket facing

Fond de poche
Pocket sack

Sac de Poche (poltaise ou doublure)
Pocket lining (pocketing or lining)

Fond de poche (poltaise ou doublure)
Pocketing or lining)

Df - *Straight Grain*

Devant - *Front*

Tracé Poche italienne (homme)
Outline for slant pocket (men's trousers)

Poche italienne (pantalon Homme)
Slant pocket (men's trousers)
Devant
Front
X 1

Df - *Straight Grain*

Tracé Poche italienne (homme)
Outline for slant pocket (men's trousers)

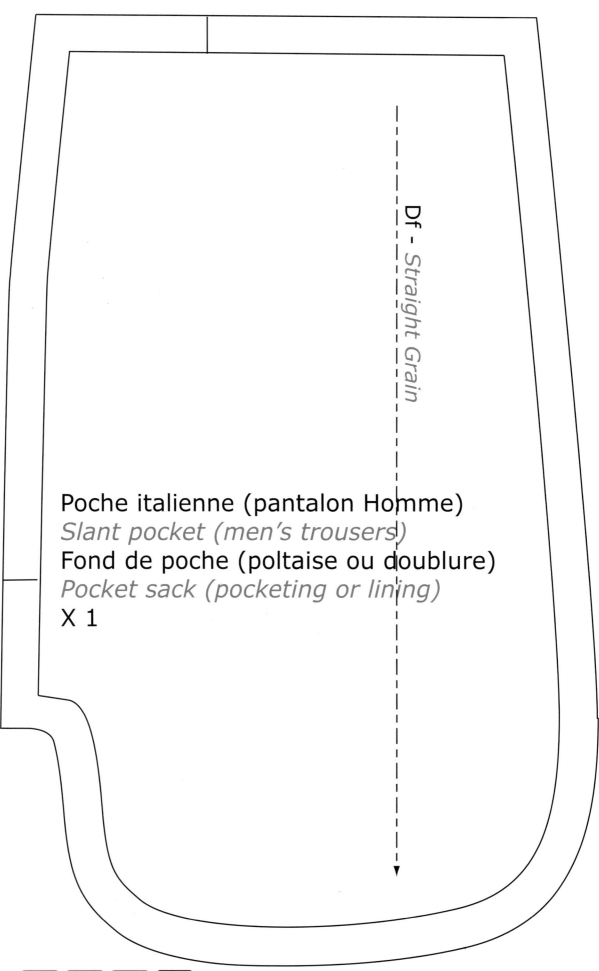

Df - *Straight Grain*

Poche italienne (pantalon Homme)
Slant pocket (men's trousers)
Fond de poche (poltaise ou doublure)
Pocket sack (pocketing or lining)
X 1

Tracé Poche italienne (homme)
Outline for slant pocket (men's trousers)

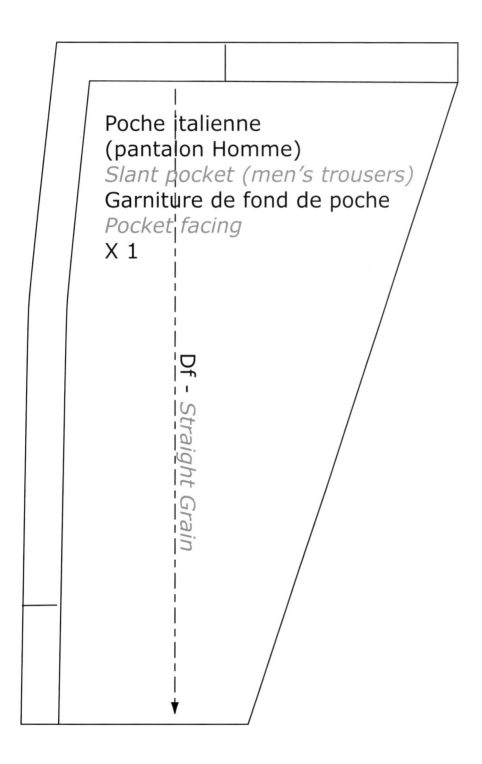

Poche italienne
(pantalon Homme)
Slant pocket (men's trousers)
Garniture de fond de poche
Pocket facing
X 1

Df - *Straight Grain*

Tracé Poche italienne (homme)
Outline for slant pocket (men's trousers)

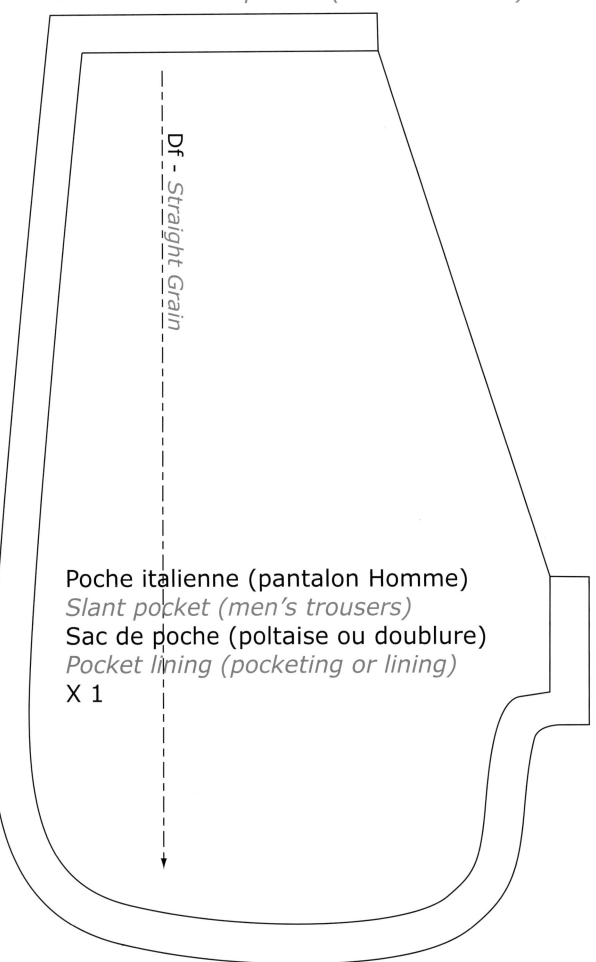

Df - *Straight Grain*

Poche italienne (pantalon Homme)
Slant pocket (men's trousers)
Sac de poche (poltaise ou doublure)
Pocket lining (pocketing or lining)
X 1

POCHE DANS UNE COUTURE
POCKET IN A SEAM

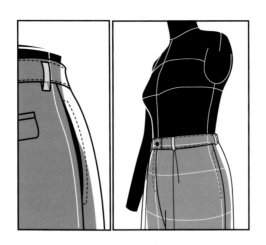

La poche dans la couture est invisible. Seule, l'ouverture est apparente dans une couture, le plus souvent celle du côté.

La couture de montage de poche est décalée de 1 cm sur l'intérieur grâce à la couture de côté du vêtement. Les deux fonds de poche sont identiques. La forme du fond de poche peut être arrondie ou remonter jusqu'à la ligne de taille (voir schéma).

The pocket in a seam is invisible. Only the pocket opening is noticeable in the seam, which is most often the side seam. The pocket seam line is shifted 1 cm from the side seam line. The two pocket sacks are identical. The shape of the pocket sack can be curved, or it can be straight and extended to the waistline (See diagram).

Éléments nécessaires :
- 2 rectangles avec décalage de couture égal à l'ouverture de poche + couturages de 1 cm de part et d'autre.
- 2 fonds de poches selon gabarit (1 en tissu, 1 en doublure ou percaline).

Necessary elements :
- *2 rectangles with a difference along the seam equal to the pocket opening + 1 cm seam allowance value on either side.*
- *2 identical pocket sacks (1 in fabric, 1 in pocketing or lining).*

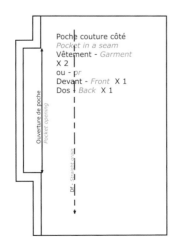

Poche couture côté
Pocket in a seam
Vêtement - *Garment*
X 2
ou - *pr*
Devant - *Front* X 1
Dos - *Back* X 1

Ouverture de poche
Pocket opening

DF - *Straight grain*

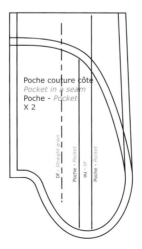

Poche couture côté
Pocket in a seam
Poche - *Pocket*
X 2

DF - *Straight grain*

Poche - *Pocket*

ou - *or*

Poche - *Pocket*

N°	Opérations *Procedures*	Schémas *Diagrams*
1	Surfiler les coutures côté avec le décrochement de couturages ainsi que les entrées de poche. *Overlock the garment's side seams (including value added for pocket opening) as well as the pocket openings on pocket sacks.*	
2	Assembler le fond de poche doublure ou percaline avec la partie devant au niveau du décalé endroit contre endroit, c'est-à-dire sur la hauteur d'ouverture de poche (AB). Ouvrir la couture au fer. *With right sides together, assemble the pocket sack (pocketing or lining) to the front piece along pocket opening (AB). Iron seam open.*	
3	Assembler le fond de poche tissu avec la partie dos au niveau du décalé endroit contre endroit, c'est-à-dire sur la hauteur d'ouverture de poche (AB). Ouvrir la couture au fer. *With right sides together, assemble the pocket sack (fabric) to the back piece along pocket opening (AB). Iron seam open.*	
4	Assembler les morceaux devant et dos en passant par les fonds de poche endroit contre endroit. *With right sides together, assemble the front to the back, stitching around the pocket sacks.*	
5	Cranter le couturage au niveau du décalage des couturages. Surfiler les deux fonds de poche ensemble. *Clip the seam allowance above and below the pocket opening. (See Diagram.) Overlock the two pocket sacks together.*	

ou - *or*

6	Retourner sur l'endroit la partie devant (Le fond de poche monté au dos va se trouver positionner sur le devant). Surpiquer l'ouverture de poche devant à 0.5 cm de la pliure en fermant les extrémités. Ouvrir les coutures de la ligne de côté au dessus et au dessous de l'ouverture de poche ou coucher les coutures sur la partie dos. *Turn the front piece to the right side. (The pocket sack assembled to the back will be placed against the front.) Topstitch around the pocket opening on the front at 0.5 cm from the foldline.* *The side seams (above and below the pocket opening) can be ironed open or ironed towards the back.*	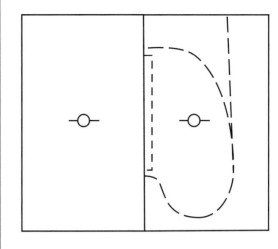
7	Repassage final. *Final ironing.*	

OTES /

... Positionner l'entrée de poche

Poches dans les coutures :

Tracé Poche dans une couture
Outline for pocket in a seam

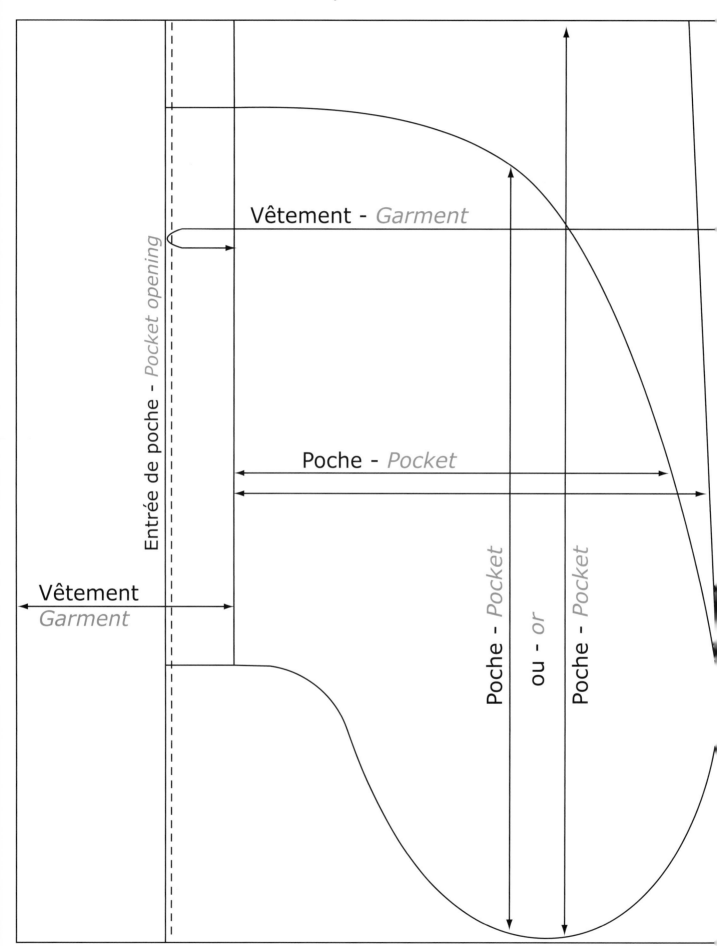

Entrée de poche - *Pocket opening*

Vêtement - *Garment*

Poche - *Pocket*

Vêtement
Garment

Poche - *Pocket*

ou - *or*

Poche - *Pocket*

Tracé Poche dans une couture
Outline for pocket in a seam

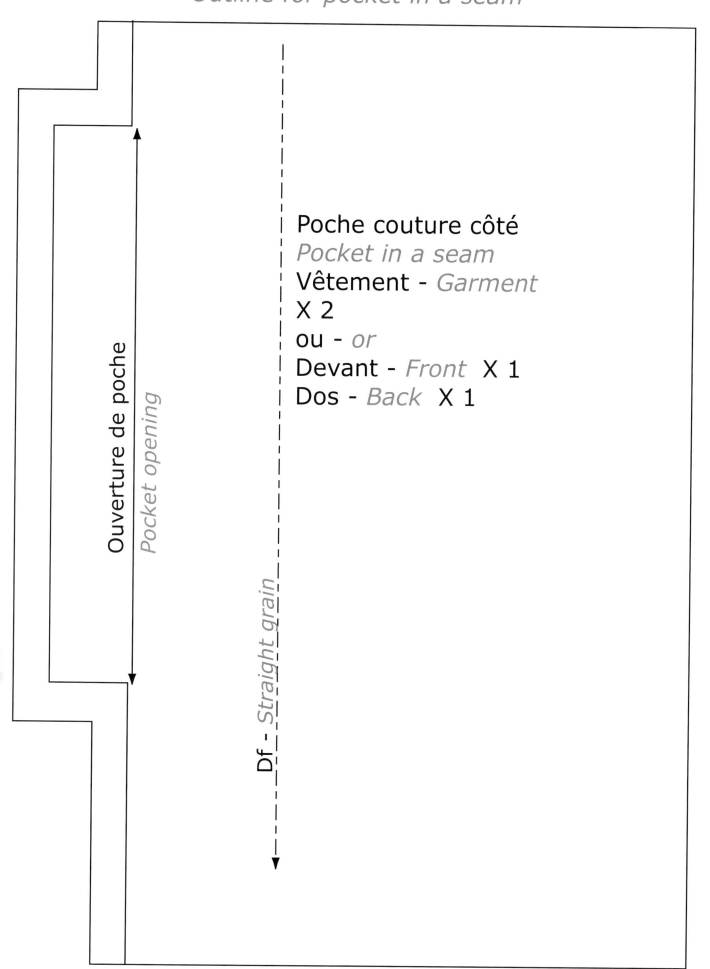

Ouverture de poche
Pocket opening

Df - *Straight grain*

Poche couture côté
Pocket in a seam
Vêtement - *Garment*
X 2
ou - *or*
Devant - *Front* X 1
Dos - *Back* X 1

Tracé Poche dans une couture
Outline for pocket in a seam

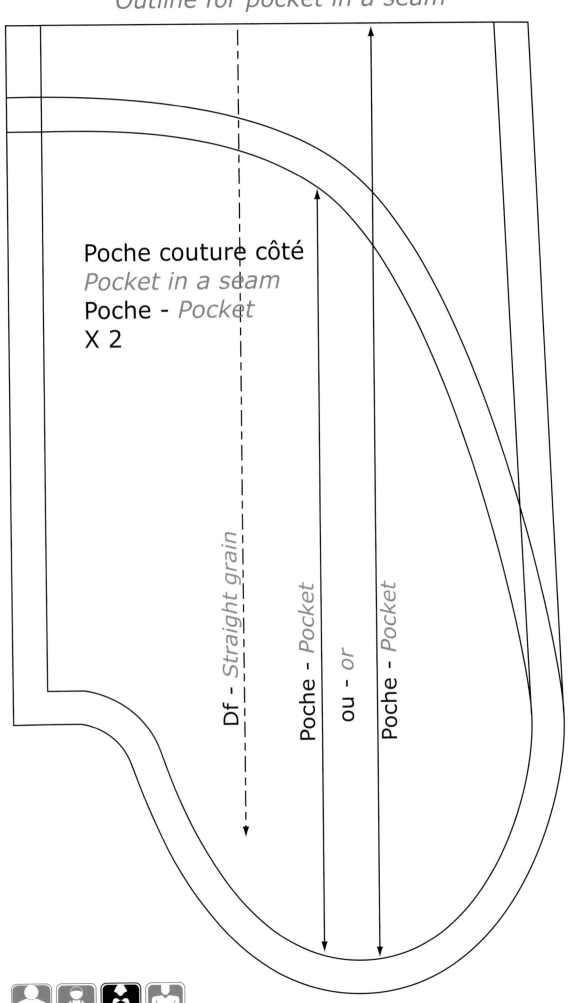

Poche couture côté
Pocket in a seam
Poche - *Pocket*
X 2

Df - *Straight grain*

Poche - *Pocket*

ou - *or*

Poche - *Pocket*

POCHE DANS UNE DECOUPE AVEC PAREMENT
POCKET IN A SEAM WITH FACING

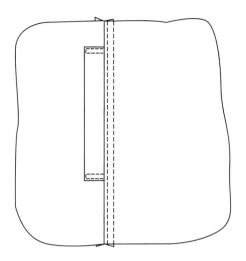

Éléments nécessaires :
- 1 partie vêtement côté fond de poche.
- 1 partie vêtement côté sac de poche.
- 1 fond de poche.
- 1 sac de poche avec parement.

Necessary elements :
- *1 right garment piece*
- *1 left garment piece*
- *1 pocket sack (A)*
- *1 pocket sack (B) with facing*

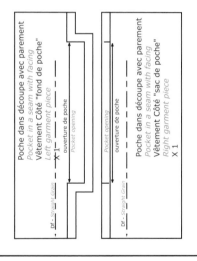

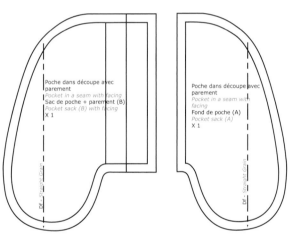

N°	Opérations *Procedures*	Schémas *Diagrams*
1	Assembler le fond de poche (A) avec la partie vêtement côté fond de poche au niveau du décalé endroit contre endroit. Surfiler l'assemblage des deux coutures. *With right sides together, assemble the pocket sack (A) to the right garment piece along pocket opening.* *Overlock the two seams together.*	

2	Coucher les coutures vers le vêtement et surpiquer nervure. *Fold the seam allowance towards the garment and sew with a row of ribbed topstitching.*	
3	Assembler le bord du parement avec la partie vêtement endroit contre endroit en laissant 1 cm au début et à la fin de la piqûre. *With right sides together, assemble the edge of the pocket facing to the left garment piece. Stitching stops at 1 cm from each end of the pocket facing.*	
4	Retourner endroit contre endroit la largeur du parement et piquer à 1 cm du bord. Cranter, retourner, repasser. *With right sides together, fold facing width (follow notches) and stitch at 1 cm from the edge.* *Clip, turn and iron.*	
5	Assembler endroit contre endroit la découpe au dessus et au dessous de l'entrée de poche avec les deux pièces du vêtement. Provisoirement, ouvrir les coutures. *With right sides together, assemble the garment seams above and below the pocket opening.* *Iron seams open temporarily.*	

6	Surpiquer l'entrée de poche et la ligne de découpe en piqûre nervure en prenant le fond de poche. Puis surpiquer à 0.7 cm du bord en prenant uniquement le couturage avec la partie vêtement. *Sew the pocket sack (A) to the garment with a row of ribbed topstitching along seam line and pocket opening. Then, sew a row of topstitching at 0.7 cm from the edge only stitching the seam allowance to the garment.*	
7	Positionner fond et sac de poche l'un sur l'autre et piquer tout autour à 1 cm du bord. Surfiler en une seule opération ligne de découpe et tour de poche. *Place the two pocket sacks together and stitch all around at 1 cm from the edge.* *Overlock the garment seams and the pocket sacks in one procedure.*	
8	Appliquer les deux largeurs de parement sur le vêtement par une surpiqûre décorative solide. *Sew the two pocket facing widths to the garment with solid, decorative topstitching.*	
9	Repassage final. *Final ironing.*	

Tracé Poche dans une découpe avec parement
Outline for pocket in a seam with facing

Vêtement côté "sac de poche"
Right garment piece

Sac de poche + parement (B)
Pocket sack (B) with facing

Vêtement
côté "fond de
poche"
*Left garment
piece*

Fond de poche (A)
Pocket sack (A)

Tracé Poche dans une découpe avec parement
Outline for pocket in a seam with facing

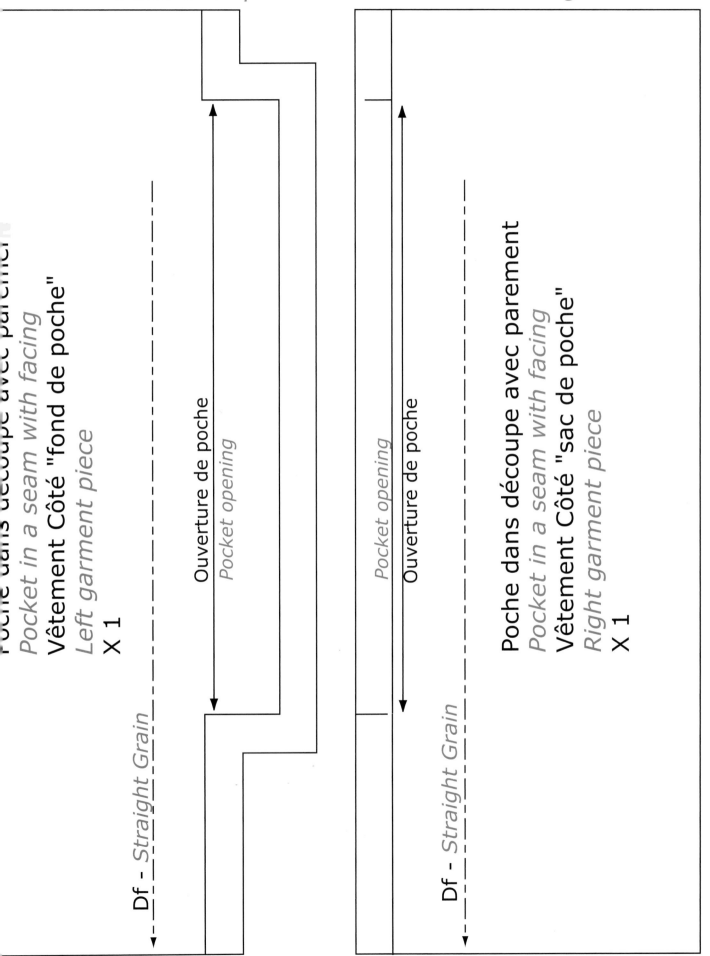

Poche dans découpe avec parement
Pocket in a seam with facing
Vêtement Côté "fond de poche"
Left garment piece
X 1

Ouverture de poche
Pocket opening

Df - *Straight Grain*

Poche dans découpe avec parement
Pocket in a seam with facing
Vêtement Côté "sac de poche"
Right garment piece
X 1

Pocket opening
Ouverture de poche

Df - *Straight Grain*

Tracé Poche dans une découpe avec parement
Outline for pocket in a seam with facing

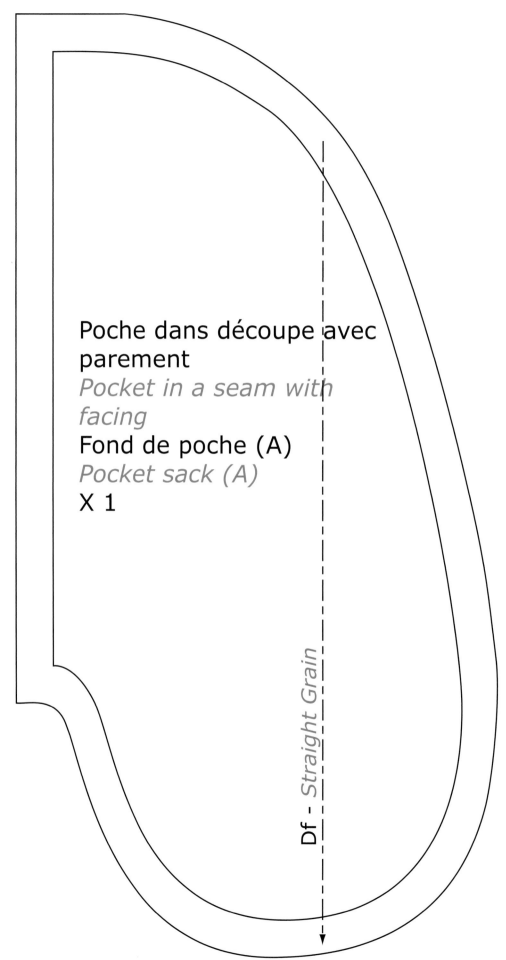

Poche dans découpe avec parement
Pocket in a seam with facing
Fond de poche (A)
Pocket sack (A)
X 1

Df - *Straight Grain*

Tracé Poche dans une découpe avec parement
Outline for pocket in a seam with facing

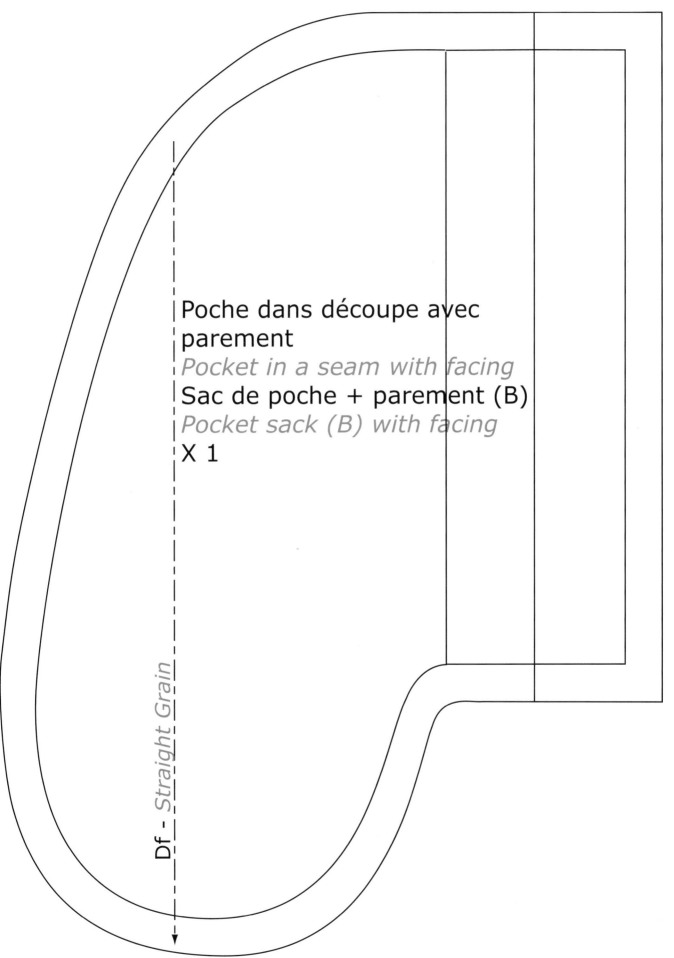

Poche dans découpe avec parement
Pocket in a seam with facing
Sac de poche + parement (B)
Pocket sack (B) with facing
X 1

Df - *Straight Grain*

POCHE FENDUE ZIPPEE
ZIPPED SLIT POCKET

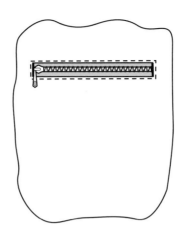

Eléments nécessaires :
- 1 vêtement (tissu)
- 1 propreté de sac de poche - fenêtre (tissu)
- 1 fond de poche (tissu ou doublure)
- 1 sac de poche (tissu ou doublure)
- 1 thermocollant emplacement de poche
- 1 fermeture à glissière

Necessary elements :
- *1 garment (fabric)*
- *1 pocket sack facing (fabric)*
- *1 pocket sack (A) (fabric or lining)*
- *1 pocket sack(B) (fabric or lining)*
- *1 piece of fusible interfacing for pocket placement*
- *1 zipper*

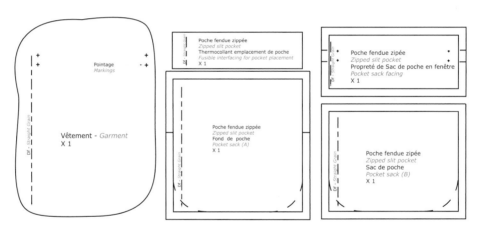

Les fonds de poches fendues ne se surfilent pas ; ces poches étant le plus souver exécutées sur des vêtements doublés.

The zipped slit pocket sacks are not overlocked. In most cases, these pockets are made on a lined garment.

N°	Opérations *Procedures*	Schémas *Diagrams*
1	**Devant :** Préparer l'emplacement du passepoil en pointant l'emplacement et la largueur de l'ouverture de poche sur la propreté (épingles, craie tailleur, feutre tissu, etc.) sur l'endroit du tissu. *Front : Prepare the pocket placement by marking the pocket position on the right side of fabric. (Use pins, tailor's chalk, fabric marker, etc.)*	

2	Thermocoller à cheval l'emplacement de l'ouverture sur l'envers avec une triplure légère et stabilisante sur 5 cm de hauteur. *Iron the fusible interfacing astride the pocket opening markings on the wrong side of fabric. (Interfacing is 5 cm wide).*	
3	Poser la propreté de sac de poche endroit contre endroit du vêtement sur les repères d'emplacement d'ouverture de poche. Piquer en rectangle sur l'ouverture de poche en se repérant sur les crans de la propreté (fenêtre de propreté). (La hauteur de l'ouverture et des passepoils dépend de la hauteur du zip à habiller.) Fendre et cranter en capucin, juste au milieu du rectangle. Dégarnir l'un des couturages (fenêtre de propreté) à 0.5 cm. *With right sides together, place the pocket sack facing on the pocket opening markings on the garment. Stitch around the pocket opening in a rectangle following the notches on the pocket sack facing. (The pocket opening length and the piping length depend on the zipper length.) Cut along the center of the rectangle, clip and notch diagonally at each corner. Trim one of the pocket sack facing seam allowances at 0.5 cm.*	
4	Retourner la propreté sur l'envers. *Turn the pocket facing to the wrong side of garment.*	

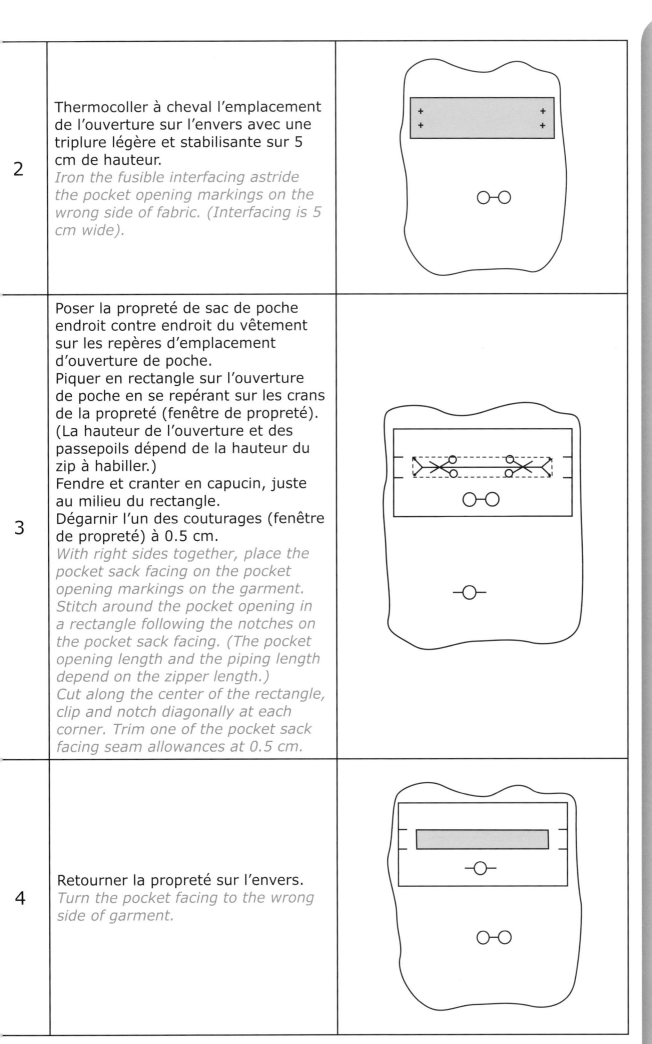

5	Positionner le zip sur l'envers dans la fenêtre préparée et épingler sur l'endroit. *Place the zipper on the wrong side of the prepared opening and pin on the right side.*	
6	Retourner sur l'endroit et surpiquer nervure tout autour de la fenêtre en maintenant en même temps la fermeture à glissière. *Turn to the right side of fabric and stitch the zipper to the garment with a row of ribbed topstitching all around the pocket opening.*	
7	Sur l'envers, positionner endroit contre endroit le bas de la fenêtre avec le haut du sac de poche et piquer à 1 cm du bord. Rabattre le sac de poche vers le bas en laissant les couturages vers le bas de poche. *Turn to the wrong side of garment. With right sides together, assemble the lower part of the pocket facing to the upper part of the pocket sack(B) and stitch at 1 cm from the edge. Fold the pocket sack towards the bottom, leaving the seam allowances folded towards the bottom of the pocket.*	
8	Positionner le fond de poche sur le sac de poche endroit contre endroit et piquer tout autour à 1 cm du bord. *With right sides together, assemble the two pocket sacks (A and B). Stitch all around the pocket sacks at 1 cm from the edge.*	
9	Repassage final. *Final ironing.*	

Tracé Poche fendue zippée
Outline for zipped slit pocket

Vêtement - *Garment*

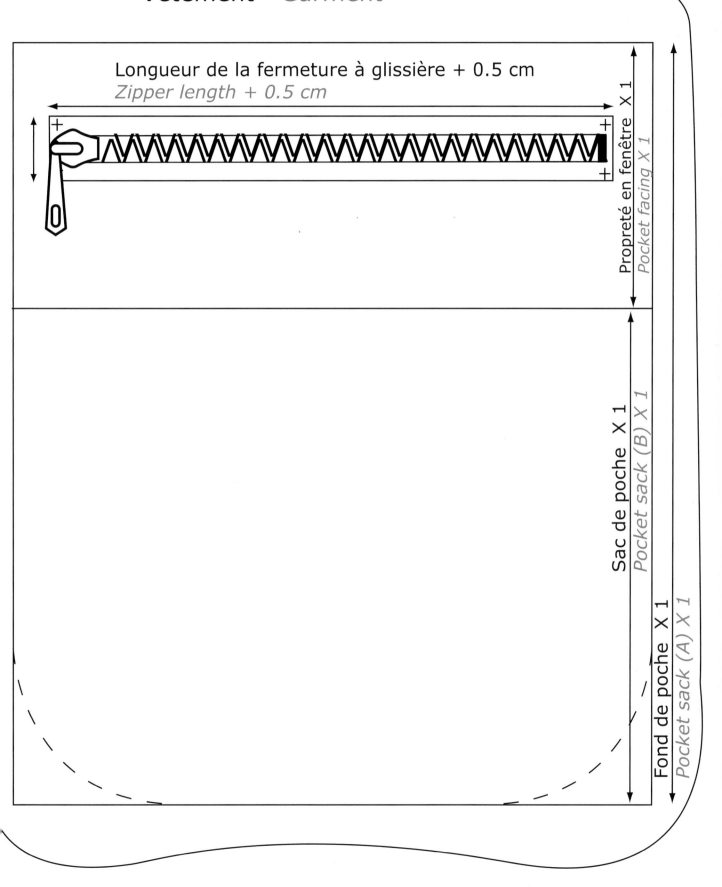

Longueur de la fermeture à glissière + 0.5 cm
Zipper length + 0.5 cm

Propreté en fenêtre X 1
Pocket facing X 1

Sac de poche X 1
Pocket sack (B) X 1

Fond de poche X 1
Pocket sack (A) X 1

Tracé Poche fendue zippée
Outline for zipped slit pocket

Vêtement - *Garment*
X 1

Pointage
Markings

Df - *Straight Grain*

Tracé Poche fendue zippée
Outline for zipped slit pocket

Df - Straight Grain

Poche fendue zippée
Zipped slit pocket
Thermocollant emplacement de poche
Fusible interfacing for pocket placement
X 1

Df - Straight Grain

Poche fendue zippée
Zipped slit pocket
Fond de poche
Pocket sack (A)
X 1

Tracé Poche fendue zippée
Outline for zipped slit pocket

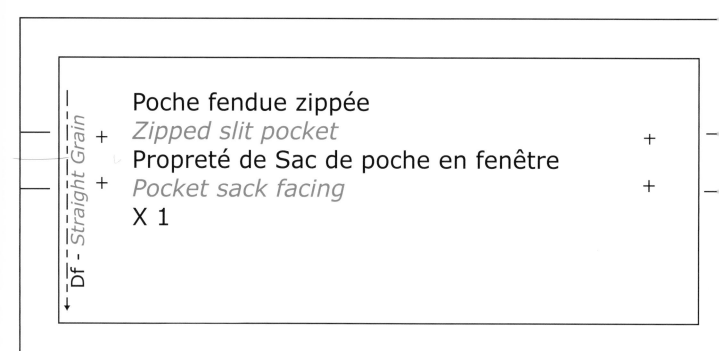

Poche fendue zippée
Zipped slit pocket
Propreté de Sac de poche en fenêtre
Pocket sack facing
X 1

Df - *Straight Grain*

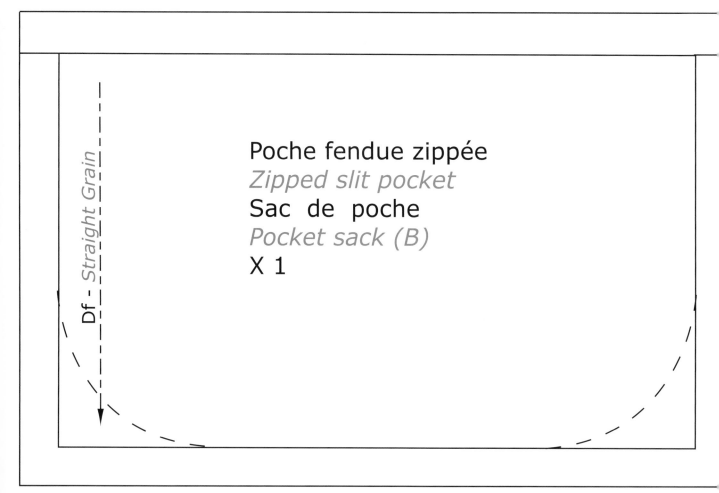

Poche fendue zippée
Zipped slit pocket
Sac de poche
Pocket sack (B)
X 1

Df - *Straight Grain*

POCHE PASSEPOILEE ZIPPEE
ZIPPED PIPED POCKET

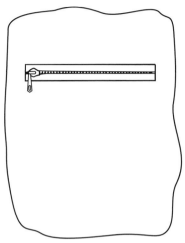

léments nécessaires :
- 1 vêtement (tissu)
- 1 passepoil (tissu)
- 1 fond de poche (tissu ou doublure)
- 1 sac de poche (tissu ou doublure)
- 1 thermocollant emplacement de poche
- 1 fermeture à glissière

Necessary elements :
- *1 garment (fabric)*
- *1 piece of piping (fabric)*
- *1 pocket sack (A) (fabric or lining)*
- *1 pocket sack (B) (fabric or lining)*
- *1 piece of fusible interfacing for pocket placement*
- *1 zipper*

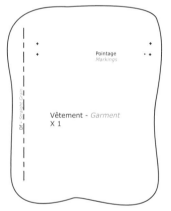

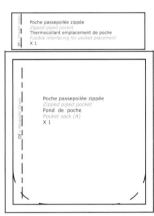

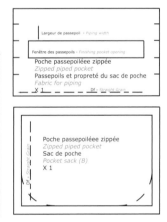

Les fonds de poches fendues ne se surfilent pas ; ces poches étant le plus souvent xécutées sur des vêtements doublés.

The zipped slit pocket sacks are not overlocked. In most cases, these pockets are *ade on a lined garment.*

N°	Opérations *Procedures*	Schémas *Diagrams*
1	**Devant :** Préparer l'emplacement du passepoil en pointant l'emplacement et la largeur des passepoils (épingles, craie tailleur, feutre tissu, etc.) sur l'endroit du tissu. *Front :* *Prepare the pocket placement by marking the pocket position on the right side of fabric. (Use pins, tailor's chalk, fabric marker, etc.)*	

2	Thermocoller à cheval l'emplacement du passepoil sur l'envers avec une triplure légère et stabilisante sur 5 cm de hauteur. *Iron the fusible interfacing astride the pocket placement markings on the wrong side of fabric. (Interfacing is 5 cm wide.)*	
3	Poser l'endroit du passepoil contre l'endroit du vêtement sur les repères d'emplacement de poche. Piquer en rectangle sur l'ouverture de poche en se repérant sur les crans du passepoil. (La hauteur de l'ouverture et des passepoils dépend de la hauteur du zip à habiller.) Fendre et cranter en capucin, juste au milieu du rectangle. *With right sides together, place the piping on to the pocket placement markings on the garment.* *Stitch around the pocket opening in a rectangle following the notches on the piping.* *(The pocket opening length and the piping length depend on the zipper length.)* *Cut along the center of the rectangle, clip and notch diagonally at each corner.*	
4	Retourner le passepoil sur l'envers. *Turn the piping to the wrong side of garment.*	

5	Ouvrir les couturages des passepoils supérieurs et inférieurs, puis plier les passepoils supérieurs et inférieurs en respectant les crans de repère. *Iron the upper piping and lower piping seam allowances open. Then, following the notches, fold the upper and lower piping.*	
6	Maintenir les deux passepoils bord à bord par un point zig zag sur l'endroit. *On the right side of fabric, maintain the two pieces of piping edge to edge with a zig-zag stitch.*	
7	Positionner le zip sur l'envers et épingler. *Place the zipper on the wrong side of fabric and pin.*	

8	Piquer dans le sillon des passepoils et en nervure sur les largeurs des passepoils sur l'endroit en prenant le zip en même temps. *On the right side of fabric, stitch the zipper to the garment on the seam line and sew along the piping widths with ribbed topstitching.*	Piqûre dans le sillon *Stitching on seam line* Piqûre nervure *Ribbed topstitching*
9	Sur l'envers, positionner endroit contre endroit le bas des passepoils avec le haut du sac de poche et piquer à 1 cm du bord. Rabattre le sac de poche vers le bas en laissant les couturages vers le bas de poche. *Turn to the wrong side of garment. With right sides together, assemble the lower part of the piping to the upper part of the pocket sack (B) and stitch at 1 cm from the edge.* *Fold the pocket sack towards the bottom, leaving the seam allowances folded towards the bottom of the pocket.*	
10	Positionner le fond de poche sur le sac de poche endroit contre endroit et piquer tout autour à 1 cm du bord. *With right sides together, assemble the two pocket sacks (A and B). Stitch all around the pocket sacks at 1 cm from the edge.*	
11	Repassage final. N.B. Enlever le bâti en zig zag lorsque le vêtement est terminé. *Final ironing.* *Note : Remove the zig-zag basting stitch when the garment is finished.*	

Tracé Poche passepoilée zippée
Outline for zipped piped pocket

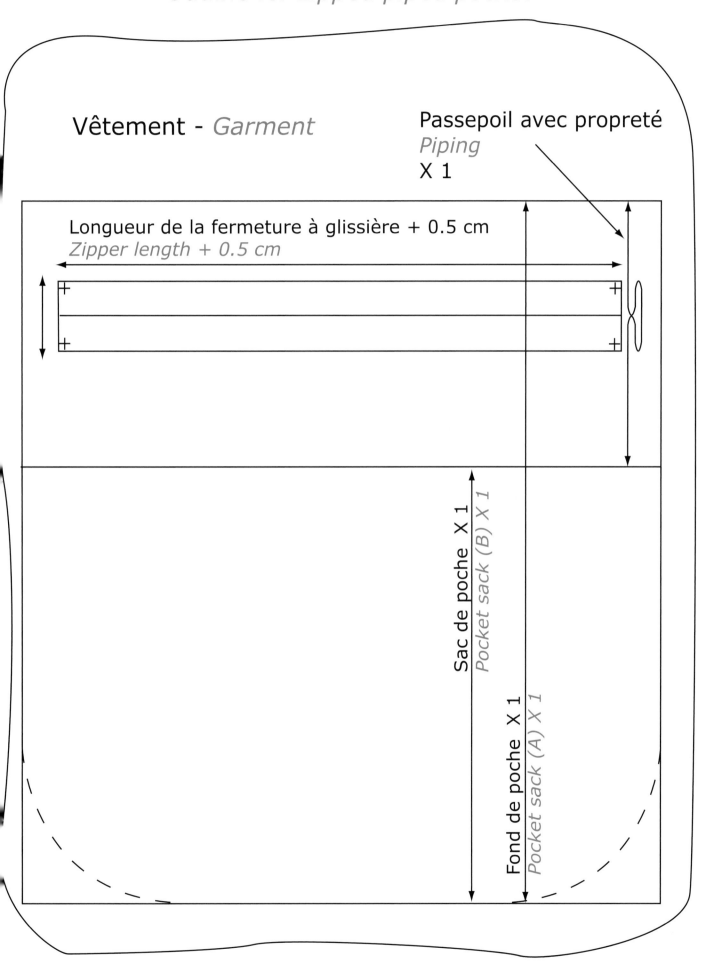

Vêtement - *Garment*

Passepoil avec propreté
Piping
X 1

Longueur de la fermeture à glissière + 0.5 cm
Zipper length + 0.5 cm

Sac de poche X 1
Pocket sack (B) X 1

Fond de poche X 1
Pocket sack (A) X 1

Tracé Poche passepoilée zippée
Outline for zipped piped pocket

Vêtement - *Garment*
X 1

+   +

Pointage   ⟶   +
Markings

+

Df - *Straight Grain*

Tracé Poche passepoilée zippée
Outline for zipped piped pocket

Df - *Straight Grain*

Poche passepoilée zippée
Zipped piped pocket
Thermocollant emplacement de poche
Fusible interfacing for pocket placement
X 1

Df - *Straight Grain*

Poche passepoilée zippée
Zipped piped pocket
Fond de poche
Pocket sack (A)
X 1

Tracé Poche passepoilée zippée
Outline for zipped piped pocket

Largeur de passepoil - *Piping width*

Fenêtre des passepoils - *Finishing pocket opening*

Poche passepoiléee zippée
Zipped piped pocket
Passepoils et propreté du sac de poche
Fabric for piping
X 1

Df - *Straight Grain*

Poche passepoiléee zippée
Zipped piped pocket
Sac de poche
Pocket sack (B)
X 1

Df - *Straight Grain*

POCHE PASSEPOILEE DOUBLE (tissus fins)
DOUBLE-PIPED POCKET (lightweight fabrics)

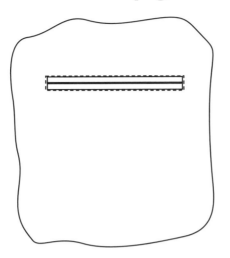

Éléments nécessaires :
- 1 vêtement (tissu)
- 1 passepoil (tissu)
- 1 fond de poche (tissu ou doublure)
- 1 thermocollant emplacement de poche

Necessary elements :
- *1 garment (fabric)*
- *1 piece of piping (fabric)*
- *1 pocket sack (fabric or lining)*
- *1 piece of fusible interfacing for pocket placement*

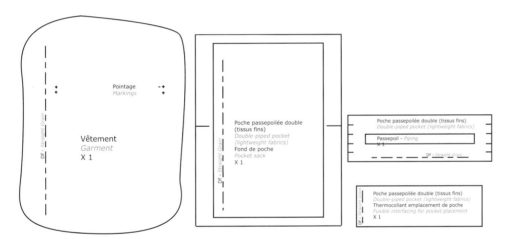

Les fonds de poches fendues ne se surfilent pas ; ces poches étant le plus souvent exécutées sur des vêtements doublés.

The zipped slit pocket sacks are not overlocked. In most cases, these pockets are made on a lined garment.

N°	Opérations *Procedures*	Schémas *Diagrams*
1	**Devant :** Préparer l'emplacement du passepoil en pointant l'emplacement et la largeur des passepoils (épingles, craie tailleur, feutre tissu, etc.) sur l'endroit du tissu. *Front :* *Prepare the piping placement by marking the piping position on the right side of fabric.(Use pins, tailor's chalk, fabric marker, etc.)*	

2	Thermocoller à cheval l'emplacement du passepoil sur l'envers avec une triplure légère et stabilisante sur 5 cm de hauteur. *Iron the fusible interfacing astride the piping placement markings on the wrong side of fabric. (Interfacing is 5 cm wide.)*	
3	Poser le passepoil endroit contre endroit sur les repères d'emplacement de poche. Piquer en rectangle sur l'ouverture de poche en se repérant sur les crans du passepoil. Fendre et cranter en capucin, juste au milieu du rectangle. *With right sides together, place the piping on the pocket placement markings on the garment.* *Stitch around the pocket opening in a rectangle following the notches on the piece of piping.* *Cut along the center of the rectangle, clip and notch diagonally at each corner.*	
4	Retourner le passepoil sur l'envers. *Turn the piping to the wrong side of garment.*	
5	Plier les passepoils supérieurs et inférieurs en laissant les valeurs de couturage en buté à l'intérieur. *Fold the upper piping and the lower piping leaving the seam allowance values against the interior.*	

6	Maintenir les deux passepoils bord à bord par un point zig zag sur l'endroit puis piquer dans le sillon des passepoils et en nervure sur les largeurs des passepoils. *On the right side of fabric, maintain the two pieces of piping edge to edge with a zig-zag stitch.*	
7	Positionner le haut du fond de poche sur le haut du passepoil supérieur endroit contre endroit et piquer les deux épaisseurs le plus près possible du montage du passepoil. *With right sides together, assemble the upper part of the pocket sack to the upper piece of piping edge and stitch the two layers as closely as possible to the piping seam line.*	
8	Remonter le fond de poche vers le haut de poche et positionner le bas du fond de poche sur le couturage du passepoil inférieur endroit contre endroit. Piquer les deux épaisseurs le plus près possible du montage du passepoil. *Fold the pocket sack towards the upper part of the pocket. With right sides together, assemble the lower part of the pocket sack to the seam allowance on the lower piece of piping.* *Stitch the two layers as closely as possible to the piping seam line.*	
9	Rabattre le fond de poche vers le bas du passepoil et repasser. Piquer les côtés latéraux du fond de poche en prenant les passepoils. *Fold the pocket sack towards the lower part of the piping and iron.* *Stitch the lateral sides of the pocket sacks together and assemble to the piping.*	
10	Repassage final. N.B. Enlever le bâti en zig zag lorsque le vêtement est terminé. *Final ironing.* *Note : Remove the zig-zag basting stitch when the garment is finished.*	

Poches fendues :   … Inclure et habiller l'entrée de poche

Tracé Poche passepoilée double (tissus fins)
Outline for double-piped pocket (lightweight fabrics)

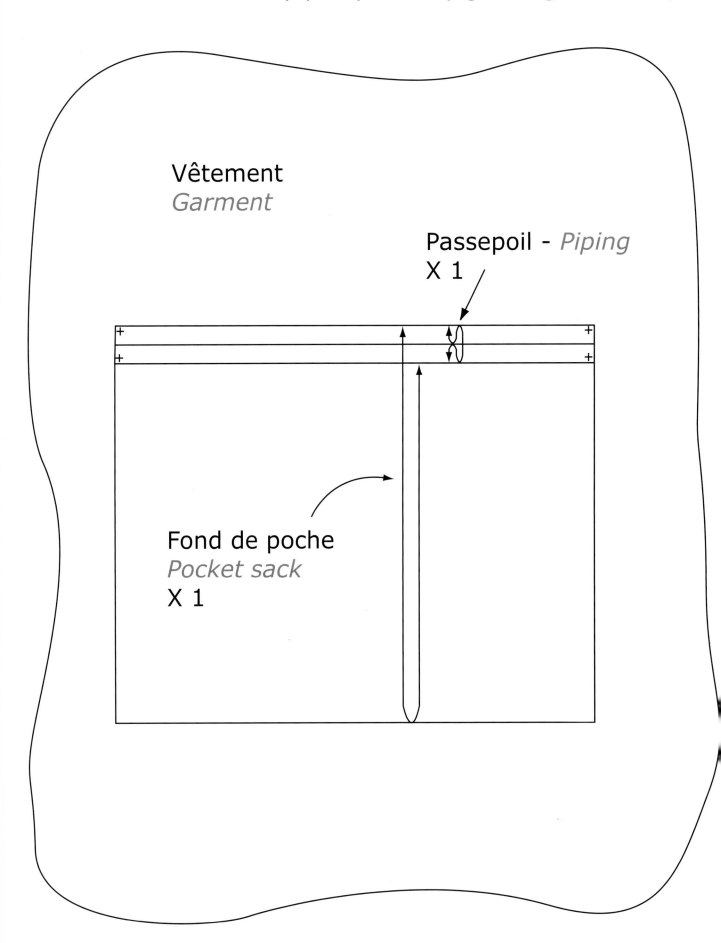

Vêtement
Garment

Passepoil - *Piping*
X 1

Fond de poche
Pocket sack
X 1

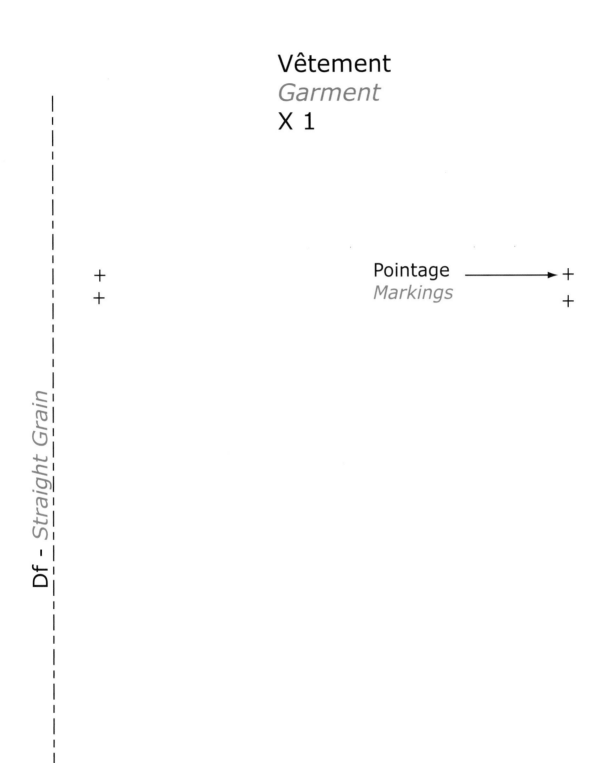

Vêtement
Garment
X 1

Pointage
Markings

Df - *Straight Grain*

Tracé Poche passepoilée double (tissus fins)
Outline for double-piped pocket (lightweight fabrics)

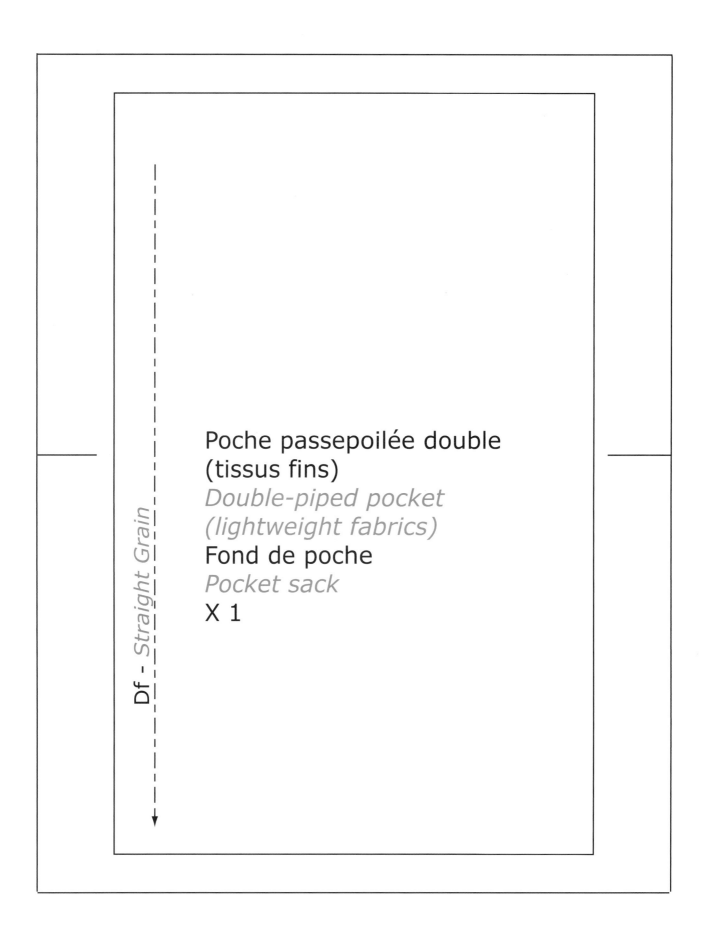

Poche passepoilée double (tissus fins)

Double-piped pocket (lightweight fabrics)

Fond de poche

Pocket sack

X 1

Df - *Straight Grain*

Tracé Poche passepoilée double (tissus fins)
Outline for double-piped pocket (lightweight fabrics)

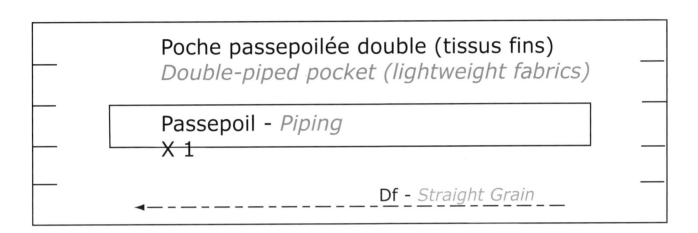

Poche passepoilée double (tissus fins)
Double-piped pocket (lightweight fabrics)

Passepoil - *Piping*
X 1

Df - *Straight Grain*

Poche passepoilée double (tissus fins)
Double-piped pocket (lightweight fabrics)
Thermocollant emplacement de poche
Fusible interfacing for pocket placement
X 1

Df - *Straight Grain*

POCHE PASSEPOILEE DOUBLE (tissus épais)
DOUBLE-PIPED POCKET (thick fabrics)

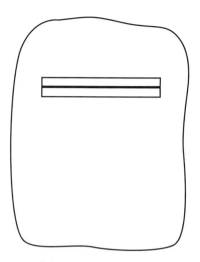

Eléments nécessaires :
- 1 vêtement (tissu)
- 1 passepoil supérieur (tissu)
- 1 passepoil inférieur avec parement (tissu)
- 1 parement de fond de poche (tissu)
- 2 fonds de poche (poltaise ou doublure)

Necessary elements :
- *1 garment (fabric)*
- *1 upper piece of piping (fabric)*
- *1 lower piece of piping with facing (fabric)*
- *1 pocket sack facing (fabric)*
- *2 pocket sacks (pocketing or lining)*

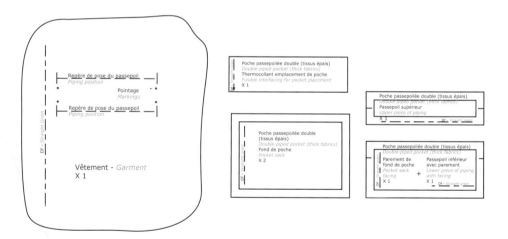

N°	**Opérations** *Procedures*	**Schémas** *Diagrams*
1	**Devant :** Préparer l'emplacement du passepoil en pointant l'emplacement et la largeur des passepoils (épingles, craie tailleur, feutre tissu ou bâti) et les lignes de repère de pose du passepoil sur l'endroit du tissu. *Front : Prepare the piping placement by marking the piping position, width, as well as the piping lines on the right side of fabric. (Use pins, tailor's chalk, fabric marker, etc.)*	

2	Thermocoller à cheval l'emplacement du passepoil sur l'envers avec une triplure légère et stabilisante sur 6 cm de hauteur. Thermocoller également les passepoils. *Iron the fusible interfacing astride the piping placement markings on the wrong side of the fabric. (Interfacing is 6 cm wide). Interface the two piping pieces.*	
3	Sur l'endroit, positionner les passepoils supérieur et inférieur sur les pointages du vêtement en prenant garde d'aligner les crans sur les lignes de repère. Piquer à 1 cm du bord de passepoil avec des points d'arrêt en début et en fin de piqûres. *Place the upper piece of piping and the lower piece of piping on the right side of the garment carefully matching the notches to the piping placement markings. Stitch at 1 cm from the edge of piping. Backstitch at each end.*	
4	Sur l'envers, fendre et cranter en capucin le vêtement uniquement, juste au milieu des piqûres. *On the wrong side of garment, and only on the garment, cut along the center line, clip and notch diagonally at each corner.*	
5	Retourner les passepoils sur l'envers. Plier les passepoils supérieurs et inférieurs en ouvrant les valeurs de couturage. Le couturage viendra en butée sur le pliage des passepoils. *Turn the piping to the wrong side of fabric. Fold the upper piping and the lower piping by opening the seam allowances. The seam allowances will be against the folded piping.*	

Poches fendues :

6	Repasser et maintenir les deux passepoils bord à bord par un point zig zag sur l'endroit. *Iron, and on the right side of fabric, maintain the two pieces of piping edge to edge with a zig-zag stitch.*	
7	Maintenir le haut du passepoil supérieur en piquant avec le haut du couturage et le bas du passepoil inférieur avec le couturage inférieur. *Stitch the upper part of piping to the upper part of seam allowance. Stitch the lower part of piping to the lower part of seam allowance.*	
8	Assembler à 1 cm endroit contre endroit le bas du parement de fond de poche au haut de l'un des fonds de poche. Ouvrir la couture et repasser. *With right sides together, assemble the lower part of the pocket sack facing to the upper edge of one of the pocket sacks.* *Iron seam allowance open.*	

Fond de poche
Pocket sack

Parement de fond de poche
Pocket sack facing

9	Positionner le haut du parement de fond de poche sur le haut du passepoil supérieur endroit contre endroit et piquer les deux épaisseurs le plus près possible du montage du passepoil. *With right sides together, assemble the upper edge of the pocket sack facing to the upper piece of piping. Stitch the two layers as closely as possible to the piping seam line.*	
10	Remonter le fond de poche vers le haut de poche et positionner le haut de l'autre fond de poche sur le couturage du passepoil inférieur endroit contre endroit. Piquer les deux épaisseurs le plus près possible du montage du passepoil. *Fold the pocket sack towards the upper part of the pocket. With right sides together, assemble the upper edge of the other pocket sack to the seam allowance on the lower piece of piping. Stitch the two layers as closely as possible to the piping seam line.*	
11	Rabattre le fond de poche vers le bas du passepoil et repasser. Piquer les côtés latéraux et le bas du fond de poche en prenant les passepoils. *Fold the pocket sack towards the lower part of piping and iron. Stitch the lateral sides and the lower edge of the pocket sacks together and assemble to the piping.*	
12	Repassage final. N.B. Enlever le bâti en zig zag lorsque le vêtement est terminé. Les fonds de poche passepoilée ne se surfilent pas ; ces poches étant le plus souvent exécutées sur des vêtements doublés. *Final ironing. Note : Remove the zig-zag basting stitch when the garment is finished. The piped pocket sacks are not overlocked. In most cases, these pockets are made on a lined garment.*	

Tracé Poche passepoilée double (tissu épais)
Outline for double-piped pocket (thick fabrics)

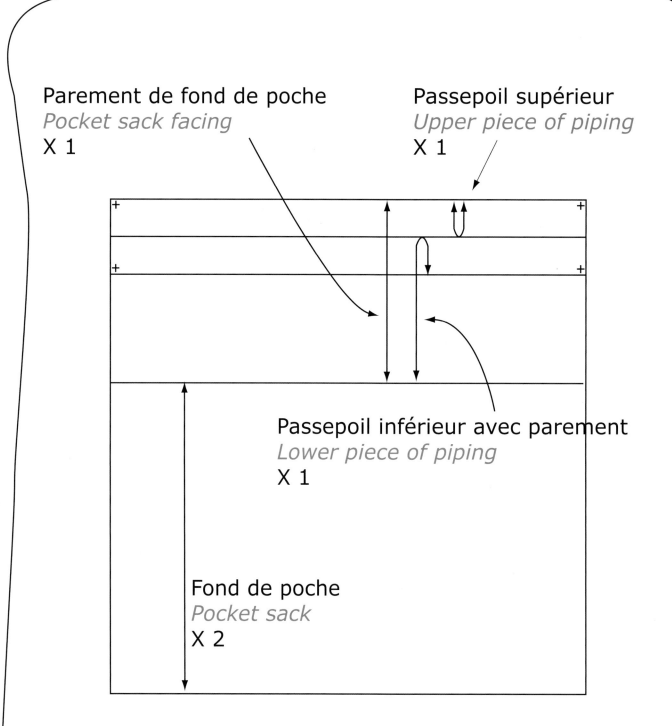

Parement de fond de poche
Pocket sack facing
X 1

Passepoil supérieur
Upper piece of piping
X 1

Passepoil inférieur avec parement
Lower piece of piping
X 1

Fond de poche
Pocket sack
X 2

Vêtement - *Garment*

Tracé Poche passepoilée double (tissu épais)
Outline for double-piped pocket (thick fabrics)

Vêtement - *Garment*
X 1

Df - *Straight Grain*

Repère de pose du passepoil
Piping position

+

Pointage ——————→ +
Markings

+   +

Repère de pose du passepoil
Piping position

Tracé Poche passepoilée double (tissu épais)
Outline for double-piped pocket (thick fabrics)

Poche passepoilée double (tissus épais)
Double-piped pocket (thick fabrics)
Passepoil supérieur
Upper piece of piping
X 1
Df - *Straight grain*

Poche passepoilée double (tissus épais)
Double-piped pocket (thick fabrics)

Df - *Straight grain*

Parement de fond de poche
Pocket sack facing
X 1

+

Passepoil inférieur avec parement
Lower piece of piping with facing
X 1
Df - *Straight grain*

Poche passepoilée double (tissus épais)
Double-piped pocket (thick fabrics)
Thermocollant emplacement de poche
Fusible interfacing for pocket placement
X 1
Df - *Straight grain*

Df - *Straight grain*

Poche passepoilée double (tissus épais)
Double-piped pocket (thick fabrics)
Fond de poche
Pocket sack
X 2

POCHE PASSEPOILEE DOUBLE AVEC RABAT
DOUBLE-PIPED POCKET WITH FLAP

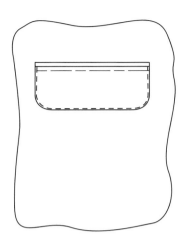

éments nécessaires :
- 1 vêtement (tissu)
- 1 passepoil supérieur (tissu)
- 1 sac de poche avec passepoil inférieur (tissu)
- 1 rabat (X 1 tissu et X 1 doublure)
- 1 fond de poche (tissu ou doublure)

Necessary elements :
- *1 garment (fabric)*
- *1 upper piece of piping (fabric)*
- *1 pocket sack with lower piping (fabric)*
- *1 flap (X 1 in fabric, X 1 in lining)*
- *1 pocket sack (fabric or lining)*

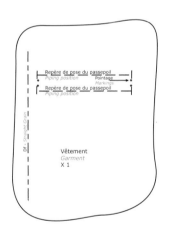

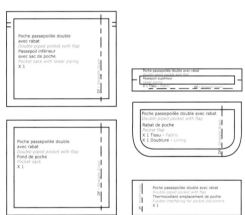

N°	**Opérations** *Procedures*	**Schémas** *Diagrams*
1	**Devant :** Préparer l'emplacement du passepoil en pointant l'emplacement et la largeur des passepoils (épingles, craie tailleur, feutre tissu ou bâti) et les lignes de repère de pose du passepoil sur l'endroit du tissu. *Front : Prepare the piping placement by marking the piping position, width, as well as the piping lines on the right side of fabric. (Use pins, tailor's chalk, fabric marker, etc.)*	

2	Thermocoller à cheval l'emplacement du passepoil sur l'envers avec une triplure légère et stabilisante sur 6 cm de hauteur. Thermocoller également les passepoils. *Iron the fusible interfacing astride the piping placement markings on the wrong side of fabric. (Interfacing is 6 cm wide.)* *Interface the two piping pieces.*	
3	**Rabat de poche :** Positionner les deux pièces du rabat endroit contre endroit. Piquer la valeur de couturage (1 cm) en suivant la forme du rabat sans fermer la largeur du haut. ***Pocket flap :*** *With right sides together, assemble the two pocket flaps following the shape of flap and stitching at 1 cm from the edge. Leave the upper edge of the flap open.*	
4	Dégarnir un des épaisseurs de couturage (celle qui sera contre le vêtement) à 0.5 cm et cranter les arrondis. Repasser en utilisant un gabarit carton. Retourner, repasser à nouveau sur l'endroit. *Trim one of the seam allowance values 0.5 cm (the seam allowance value that will be next to the garment) and notch the rounded corners.* *Iron using a cardboard template.* *Turn, iron again on the right side.*	
5	Surpiquer les trois côtés fermés selon le modèle de la poche. *Topstitch around the three flap sides according to the pocket design and style.*	

6	Plier chaque passepoil envers contre envers et piquer sur toute la largeur de la poche la valeur de passepoil fini. *With wrong sides together, fold each piping piece and stitch the finished piping value along the pocket width.*	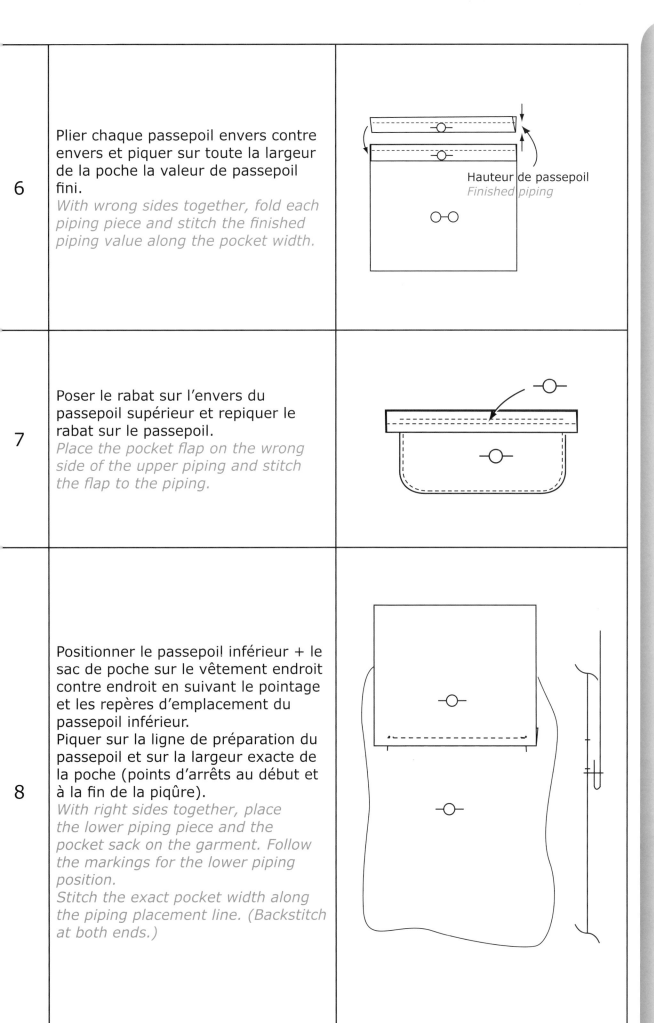 Hauteur de passepoil *Finished piping*
7	Poser le rabat sur l'envers du passepoil supérieur et repiquer le rabat sur le passepoil. *Place the pocket flap on the wrong side of the upper piping and stitch the flap to the piping.*	
8	Positionner le passepoil inférieur + le sac de poche sur le vêtement endroit contre endroit en suivant le pointage et les repères d'emplacement du passepoil inférieur. Piquer sur la ligne de préparation du passepoil et sur la largeur exacte de la poche (points d'arrêts au début et à la fin de la piqûre). *With right sides together, place the lower piping piece and the pocket sack on the garment. Follow the markings for the lower piping position. Stitch the exact pocket width along the piping placement line. (Backstitch at both ends.)*	

9	Positionner le passepoil supérieur avec le rabat sur le vêtement endroit contre endroit en suivant le pointage et les repères d'emplacement du passepoil supérieur. Piquer sur la ligne de préparation du passepoil sur la largeur exacte de la poche (points d'arrêts au début et à la fin de la piqûre). N.B. Veillez à être exactement en face du premier passepoil. *Maintaining right sides together, place the upper piece of piping with the pocket flap on the garment.* *Follow the markings for the upper piping position.* *Stitch the exact pocket width along the piping placement line. (Backstitch at both ends.)* *Note: Be sure to align the upper piping and the lower piping pieces.*	
10	Positionner le haut du fond de poche sur le haut du rabat endroit contre envers et piquer toutes les épaisseurs avec le passepoil supérieur le plus près possible du montage du passepoil. *Place the upper edge of the pocket sack on the upper part of the flap, right side against wrong side, and stitch all of the layers to the upper piece of piping. Sew as closely as possible to the piping seam line.*	Fond de poche - *Pocket sack* Rabat - *Flap* Passepoil - *Piping* Vêtement - *Garment*
11	Sur l'envers, fendre et cranter en capucin le vêtement uniquement, juste au milieu des piqûres. *On the wrong side of garment and only on the garment, cut along the center line of the pocket opening, clip and notch diagonally at each corner.*	

12	Retourner les passepoils, le rabat et les fonds de poche sur l'envers. Rentrer le rabat à l'intérieur sous le passepoil inférieur. Repasser et maintenir les deux passepoils bord à bord par un point zig zag sur l'endroit. *Turn the piping, the flap and the pocket sack to the wrong side of fabric.* *Slide the flap to the inside, below the lower piping piece.* *Iron, and on the right side of fabric, maintain the two piping edges together with a zig-zag stitch.*	
13	Retourner les côtés du passepoil sur le vêtement pour faire passer le crantage en capucin à l'intérieur et piquer les côtés latéraux et le fond de poche en prenant les passepoils. *Turn the sides of the piping on the garment and slide the clipped seam allowances to the inside. Stitch the sides and lower edge of the pocket sacks together and stitch the upper edges to the piping.*	
14	Repassage final. N.B. Enlever le bâti en zig zag lorsque le vêtement est terminé. Les fonds de poche passepoilée ne se surfilent pas ; ces poches étant le plus souvent exécutées sur des vêtements doublés. *Final ironing.* *Note : Remove the zig-zag basting stitch when the garment is finished.* *The piped pocket sacks are not overlocked. In most cases, these pockets are made on a lined garment.*	

Tracé Poche passepoilée double avec rabat
Outline for double-piped pocket with flap

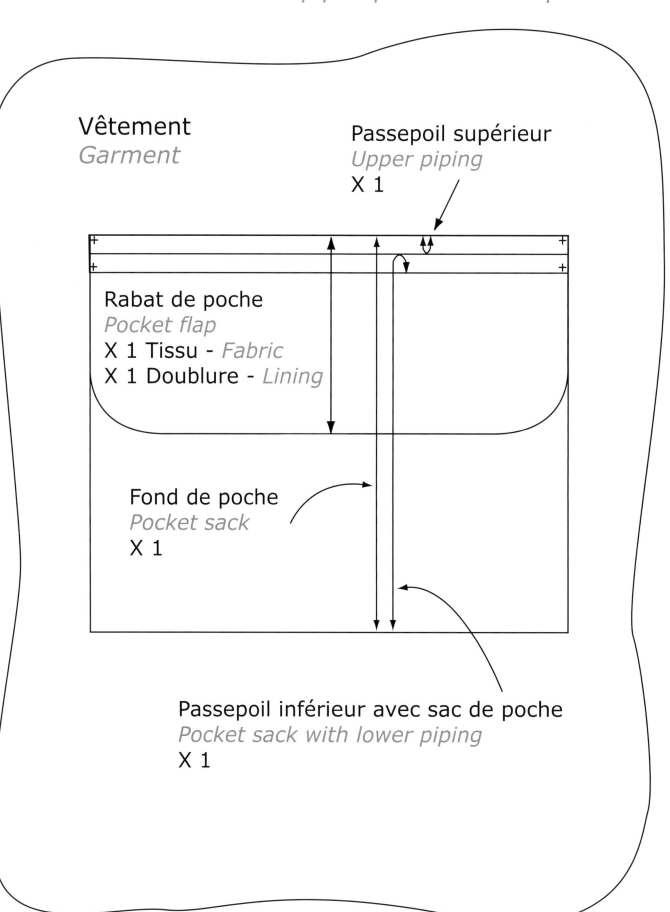

Vêtement
Garment

Passepoil supérieur
Upper piping
X 1

Rabat de poche
Pocket flap
X 1 Tissu - *Fabric*
X 1 Doublure - *Lining*

Fond de poche
Pocket sack
X 1

Passepoil inférieur avec sac de poche
Pocket sack with lower piping
X 1

Tracé Poche passepoilée double avec rabat
Outline for double-piped pocket with flap

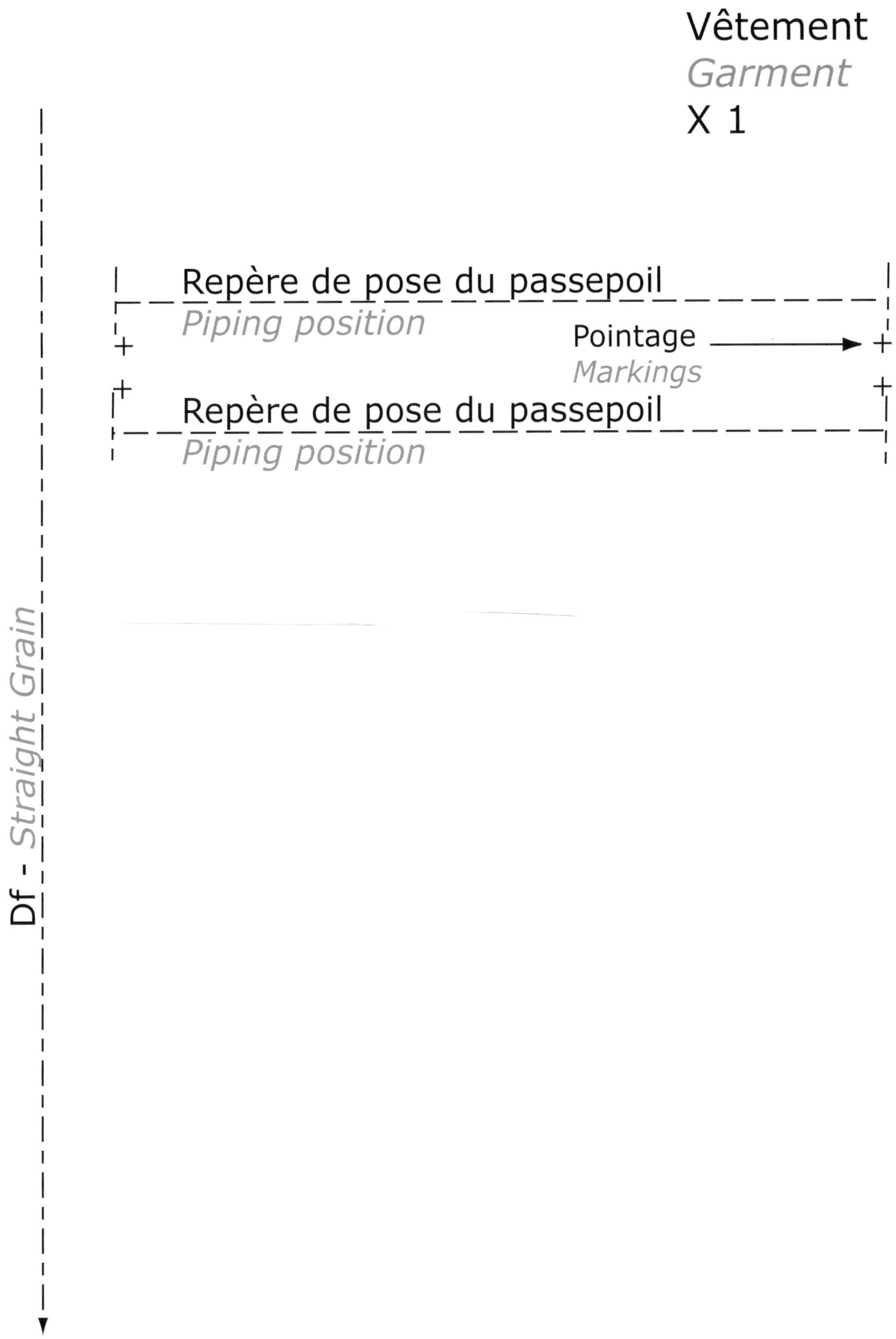

Vêtement
Garment
X 1

Repère de pose du passepoil
Piping position

Pointage
Markings

Repère de pose du passepoil
Piping position

Df - *Straight Grain*

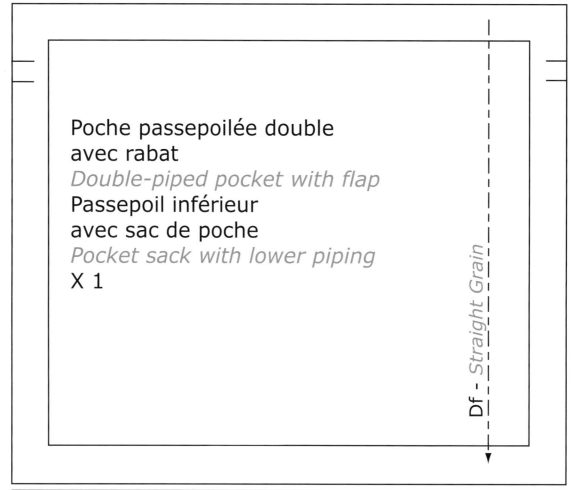

Poche passepoilée double
avec rabat
Double-piped pocket with flap
Passepoil inférieur
avec sac de poche
Pocket sack with lower piping
X 1

Df - *Straight Grain*

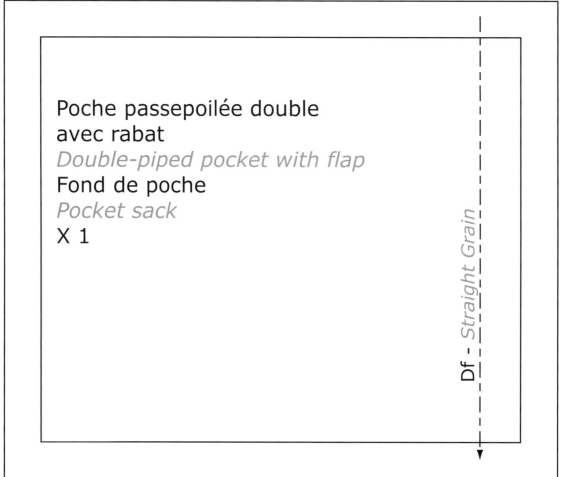

Poche passepoilée double
avec rabat
Double-piped pocket with flap
Fond de poche
Pocket sack
X 1

Df - *Straight Grain*

Tracé Poche passepoilée double avec rabat
Outline for double-piped pocket with flap

Poche passepoilée double avec rabat
Double-piped pocket with flap

Passepoil supérieur
Upper piping

X 1 Tissu - *Fabric*

Df - *Straight Grain*

Poche passepoilée double avec rabat
Double-piped pocket with flap

Rabat de poche
Pocket flap

X 1 Tissu - *Fabric*

X 1 Doublure - *Lining*

Df - *Straight Grain*

Poche passepoilée double avec rabat
Double-piped pocket with flap

Thermocollant emplacement de poche
Fusible interfacing for pocket placement

X 1

Df - *Straight Grain*

POCHE PAYSANNE (passepoil étroit)
SIMPLE PIPED POCKET (narrow piping)

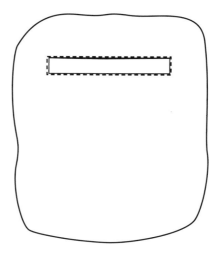

Eléments nécessaires :
- 1 vêtement (tissu)
- 1 sac de poche avec passepoil (tissu)
- 1 fond de poche (tissu)

Necessary elements :
- *1 garment (fabric)*
- *1 pocket sack with piping (fabric)*
- *1 pocket sack*

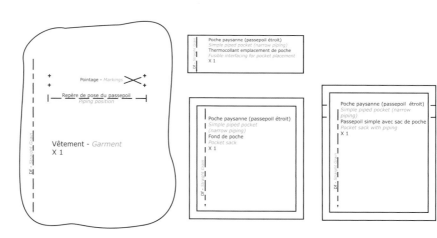

N°	**Opérations** *Procedures*	**Schémas** *Diagrams*
1	**Devant :** Préparer l'emplacement du passepoil en pointant l'emplacement et la largeur du passepoil (épingles, craie tailleur, feutre tissu ou bâti) et la ligne de repère de pose du passepoil sur l'endroit du tissu. *Front : Prepare the piping placement by marking the piping position, width, as well as the piping line on the right side of fabric. (Use pins, tailor's chalk, fabric marker, etc.)*	

2	Thermocoller à cheval l'emplacement du passepoil sur l'envers avec une triplure légère et stabilisante sur 6 cm de hauteur. *Iron the fusible interfacing astride the piping placement markings on the wrong side of fabric. (The interfacing is 6 cm wide).*	
3	Plier le passepoil du sac de poche en se repérant sur les crans envers contre envers et piquer la valeur de passepoil sur toute la largeur de poche. Repasser. *With wrong sides together, fold the piping on the pocket sack following the notches and stitch the piping across the pocket width.* *Iron.*	
4	Sur l'endroit du vêtement, positionner le fond de poche sur l'endroit et sur les pointages du haut. Piquer à 1 cm du bord sans omettre les points d'arrêt en début et en fin de piqûre. *Place the right side of pocket sack on the right side of garment matching the pocket markings.* *Stitch at 1 cm from the edge.* *Backstitch at each end.*	

5	Positionner le passepoil + son sac de poche, envers du sac de poche contre endroit du vêtement sur les pointages du bas en prenant garde d'aligner le passepoil sur la ligne de repère. Piquer sur la première piqûre de préparation du passepoil sans omettre les points d'arrêt en début et en fin de piqûre. *Place the wrong side of the pocket sack and piping, on the right side of garment. Carefully align the piping to the piping line markings on garment.*	
6	Sur l'envers, fendre et cranter en capucin le vêtement uniquement, juste au milieu des piqûres. *On the wrong side of garment, and only on the garment, cut along the center line of the pocket opening, clip and notch diagonally at each corner.*	
7	Retourner les fonds de poche sur l'envers. Repasser les couturages supérieurs vers le haut et les couturages inférieurs vers le bas. Rentrer les crantages en capucin vers l'intérieur, en vérifiant que les angles soient bien perpendiculaires au haut et au bas du passepoil. Repasser. *Turn the pocket sacks to the wrong side of fabric. Iron the upper seam allowances towards the top and the lower seam allowances towards the bottom. Fold the clipped seam allowance angles to the inside. Verify that the angles are perpendicular to the upper and lower piping lines. Iron.*	

8	Faire une piqûre nervure tout autour du passepoil en commençant par le haut du passepoil. Au tournant (A), soulever l'aiguille et remonter délicatement le fond de poche pour ne garder que le sac de poche et continuer la piqûre nervure. *Sew a row of ribbed topstitching all around the piping beginning along the upper edge of piping. While turning at (A), raise the needle and gently fold the pocket sack upwards in order to stitch only on the pocket sack with piping.*	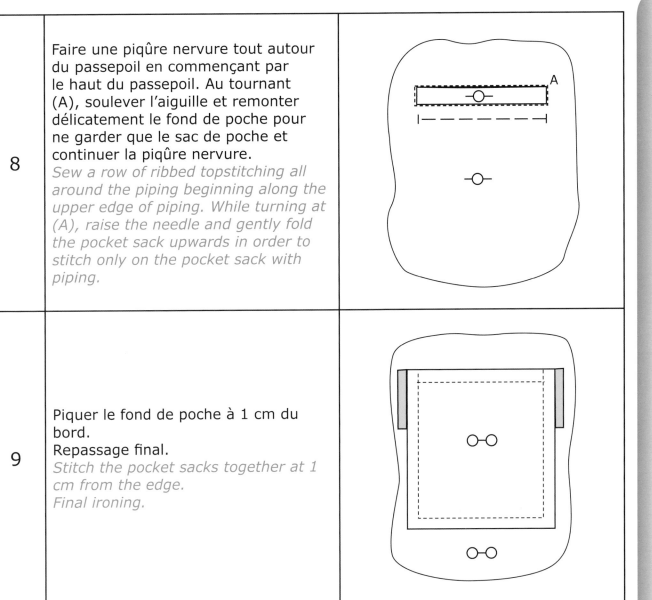
9	Piquer le fond de poche à 1 cm du bord. Repassage final. *Stitch the pocket sacks together at 1 cm from the edge.* *Final ironing.*	

NOTES /

Tracé Poche paysanne (passepoil étroit)
Outline for simple piped pocket (narrow piping)

Vêtement - *Garment*

Fond de poche
Pocket sack
X 1

Passepoil simple avec sac de poche
Pocket sack with piping
X 1

Tracé Poche paysanne (passepoil étroit)
Outline for simple piped pocket (narrow piping)

Vêtement - *Garment*
X 1

Pointage - *Markings*

Repère de pose du passepoil
Piping position

Df - *Straight Grain*

Tracé Poche paysanne (passepoil étroit)
Outline for simple piped pocket (narrow piping)

Df - *Straight Grain*

Poche paysanne (passepoil étroit)
Simple piped pocket (narrow piping)
Thermocollant emplacement de poche
Fusible interfacing for pocket placement
X 1

Poche paysanne (passepoil étroit)
*Simple piped pocket
(narrow piping)*
Fond de poche
Pocket sack
X 1

Df - *Straight Grain*

Poche paysanne (passepoil étroit)
Simple piped pocket (narrow piping)
Passepoil simple avec sac de poche
Pocket sack with piping
X 1

Df - *Straight Grain*

143

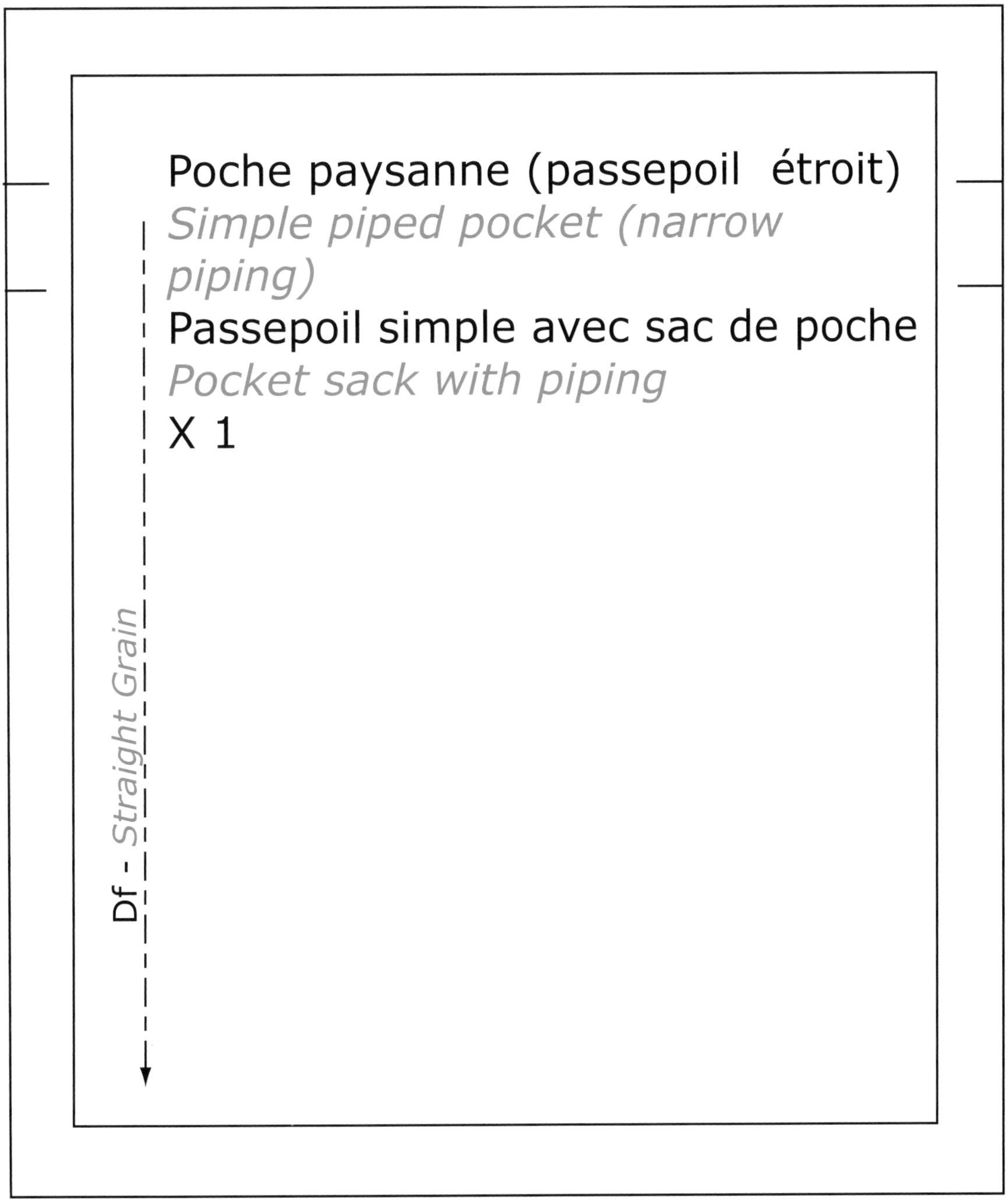

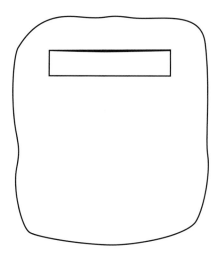

Eléments nécessaires :
- 1 vêtement (tissu)
- 1 fond de poche avec passepoil (tissu)
- Thermocollants

Necessary elements :
- *1 garment (fabric)*
- *1 pocket sack with piping (fabric)*
- *Fusible interfacing*

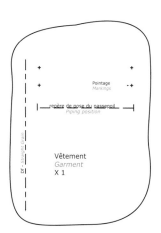

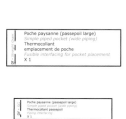

N°	**Opérations** *Procedures*	**Schémas** *Diagrams*
1	**Devant :** Préparer l'emplacement du passepoil en pointant l'emplacement et la largeur du bas du passepoil (épingles, craie tailleur, feutre tissu ou bâti) et la ligne de repère de pose du passepoil sur l'endroit du tissu. *Front : Prepare the piping placement by marking the piping position, width, as well as the piping line on the right side of fabric. (Use pins, tailor's chalk, fabric marker, etc.)*	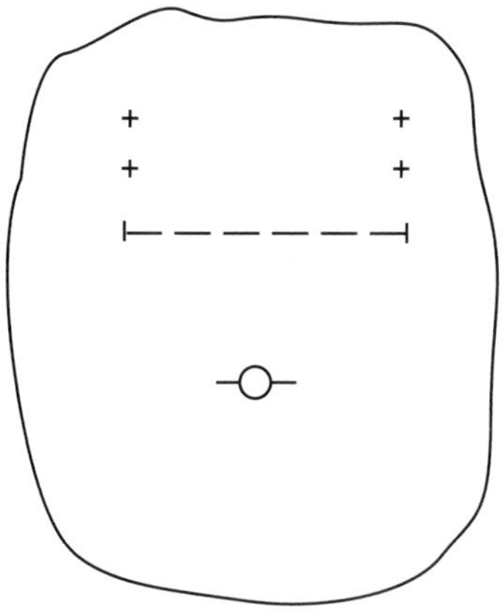

(Left margin, vertical): ... Inclure et habiller l'entrée de poche

(Left margin, bottom vertical): Poches fendues :

2	Thermocoller à cheval l'emplacement du passepoil sur l'envers avec une triplure légère et stabilisante sur 6 cm de hauteur. *Iron the fusible interfacing astride the piping placement markings on the wrong side of fabric. (The interfacing is 6 cm wide).*	
3	Thermocoller le haut du passepoil. *Interface the upper part of piping.*	
4	Plier le passepoil en se repérant sur les crans envers contre envers et piquer la valeur de passepoil sur toute la largeur de poche. Repasser. *With wrong sides together, fold the piping following the notches and stitch the piping across the pocket width.* *Iron.*	
5	Sur l'endroit du vêtement, positionner le bas du fond de poche sur l'endroit et sur les pointages du haut. Piquer à 1 cm du bord sans omettre les points d'arrêt en début et en fin de piqûre. *Place the lower edge of the pocket sack (right side) on the right side of garment matching the pocket markings.* *Stitch at 1 cm from the edge.* *Backstitch at each end.*	

Poches fendues :

6	Rabattre le haut du fond de poche (passepoil) sur les pointages du bas sur le vêtement ; le bord du passepoil se retrouve alors le long de la ligne de repère. Piquer sur la première piqûre de préparation du passepoil sans omettre les points d'arrêt en début et en fin de piqûre. *Fold the upper part of the pocket sack (piping) on the piping placement markings on the lower part of garment.* *The piping edge is positioned along the piping placement line.* *Stitch on top of the first row of stitching on the piping. Backstitch at each end.*	
7	Sur l'envers, fendre et cranter en capucin le vêtement uniquement, juste au milieu des piqûres. *On the wrong side of garment, and only on the garment, cut along the center line of the pocket opening, clip and notch diagonally at each corner.*	
8	Retourner le fond de poche sur l'envers. Repasser les couturages supérieurs vers le haut et les couturages inférieurs vers le bas. Piquer le fond de poche sous le passepoil pour maintenir en place l'ouverture (Cette piqûre facultative sera retirée ensuite pour pouvoir accéder à l'intérieur de la poche). *Turn the pocket sack to the wrong side of fabric.* *Iron the upper seam allowances towards the top and the lower seam allowances towards the bottom.* *Stitch the pocket sack under the piping to maintain the pocket opening in place. This temporary row of stitching will be removed later, permitting access to pocket interior.*	

9	Retourner les côtés du passepoil sur le vêtement pour faire passer le crantage en capucin à l'intérieur et piquer les côtés latéraux du fond de poche en prenant le passepoil. *Turn the sides of the piping on the garment and fold the clipped seam allowance angles to the inside. Stitch the lateral sides of pocket sacks together and stitch the upper edges to the piping.*	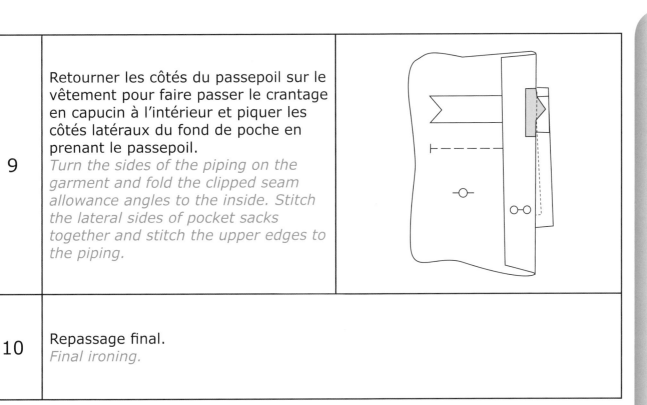
10	Repassage final. *Final ironing.*	

NOTES /

... Inclure et habiller l'entrée de poche

Poches fendues :

147

Tracé Poche paysanne (passepoil large)
Outline for simple piped pocket (wide piping)

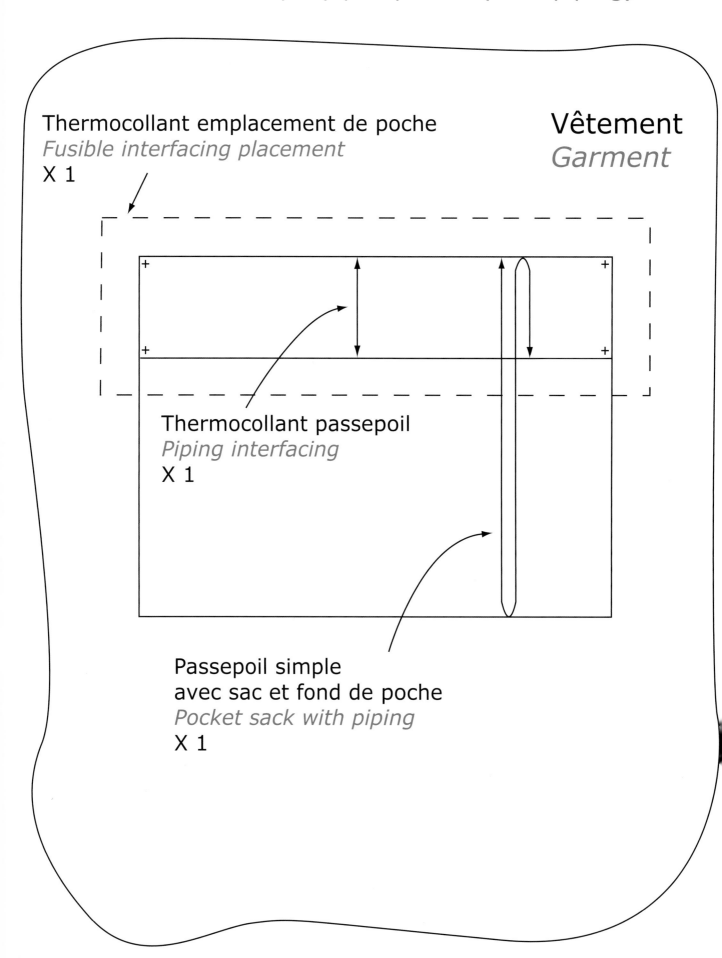

Thermocollant emplacement de poche
Fusible interfacing placement
X 1

Vêtement
Garment

Thermocollant passepoil
Piping interfacing
X 1

Passepoil simple
avec sac et fond de poche
Pocket sack with piping
X 1

Tracé Poche paysanne (passepoil large)
Outline for simple piped pocket (wide piping)

Vêtement
Garment
X 1

Pointage
Markings

repère de pose du passepoil
Piping position

Df - *Straight Grain*

Tracé Poche paysanne (passepoil large)
Outline for simple piped pocket (wide piping)

Poche paysanne (passepoil large)
Simple piped pocket (wide piping)
Passepoil simple avec sac et fond de poche
Pocket sack with piping
X 1

Df - *Straight Grain*

Tracé Poche paysanne (passepoil large)
Outline for simple piped pocket (wide piping)

Df - Straight Grain

Poche paysanne (passepoil large)
Simple piped pocket (wide piping)
Thermocollant
emplacement de poche
Fusible interfacing for pocket placement
X 1

Df - SG

Poche paysanne (passepoil large)
Simple piped pocket (wide piping)
Thermocollant passepoil
Piping interfacing
X 1

POCHE RAGLAN
SLANTED WELT POCKET

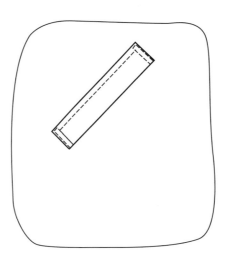

Eléments nécessaires :
- 1 vêtement (tissu)
- 1 passepoil (tissu)
- 1 parement (tissu)
- 1 fond de poche (doublure)
- 1 sac de poche (doublure)

Necessary elements :
- *1 garment (fabric)*
- *1 piece of piping (fabric)*
- *1 facing (fabric)*
- *1 pocket sack (A) (lining)*
- *1 pocket sack (B) (lining)*

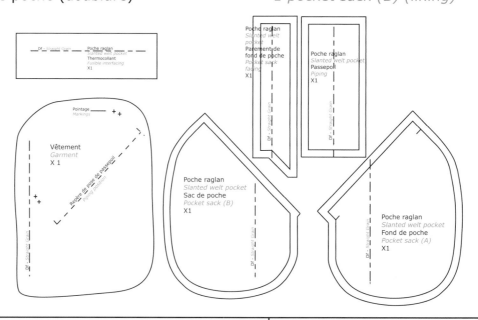

N°	Opérations *Procedures*	Schémas *Diagrams*
1	**Devant :** Préparer l'emplacement du passepoil en pointant l'emplacement et la largueur du bas du passepoil (épingles, craie tailleur, feutre tissu ou bâti) et la ligne de repère de pose du passepoil sur l'endroit du tissu. *Front : Prepare the piping placement by marking the piping position, width, as well as the piping line on the right side of fabric. (Use pins, tailor's chalk, fabric marker, etc.)*	

2	Thermocoller à cheval l'emplacement du passepoil sur l'envers avec une triplure légère et stabilisante sur 6 cm de hauteur. *Iron the fusible interfacing astride the piping placement markings on the wrong side of fabric. (The interfacing is 6 cm wide).*	
3	Thermocoller également le passepoil sur une de ses épaisseurs. *Interface one side of the piping.*	
4	Coulisser les largeurs de passepoil endroit contre endroit à 1 cm du bord. *With right sides together, stitch the piping widths at 1 cm from the edge.*	
5	Dégarnir les angles, ouvrir les coutures, retourner, repasser. *Clip the angles, open the seams, turn and iron.*	

… Inclure et habiller l'entrée de poche

Poches fendues :

6	Surpiquer sur les trois côtés selon le modèle. *Topstitch around the three piping edges according to the pocket design and style.*	
7	Positionner le passepoil (partie non thermocollée) endroit contre endroit du sac de poche et piquer à 0.9 cm du bord pour le maintenir. *With right sides together, assemble the piping (side without interfacing) to the pocket sack (B) and stitch at 0.9 cm from the edge.*	
8	Préparer le fond de poche en appliquant le parement endroit contre endroit à 1 cm. *With right sides together, assemble the facing to the pocket sack (A) at 1 cm from the edge.*	
9	Retourner le parement et surpiquer nervure. Piquer à 0.5 cm du bord d'ouverture de poche pour maintenir le parement. *Fold the facing and sew with a row of ribbed topstitching.* *To maintain the facing to pocket sack (A), stitch at 0.5 cm from the edge of the pocket opening.*	

10	Positionner endroit contre endroit le sac de poche avec le passepoil et le fond de poche sur les pointages du vêtement en prenant garde d'aligner le passepoil sur la ligne de repère. Piquer à 1 cm du bord avec des points d'arrêt en début et en fin de piqûres. *With right sides together, place the pocket sack (B) with piping and the pocket sack (A) on the pocket markings on the garment. Carefully align the piping to the piping line markings on the garment. Stitch at 1 cm from the edge on each pocket sack. Backstitch at each end.*	
11	Sur l'envers, fendre et cranter en capucin le vêtement uniquement, juste au milieu des piqûres. *On the wrong side of garment, and only on the garment, cut along the center line of the pocket opening, clip and notch diagonally at each corner.*	
12	Retourner les deux pièces sur l'envers en laissant les angles en capucin sur l'endroit du vêtement. Repasser, épingler les largeurs de passepoil. *Turn both pieces to the wrong side of garment. Leave the clipped seam allowance angles on the right side of garment. Iron, fold and pin each piping width.*	

... Inclure et habiller l'entrée de poche

Poches fendues :

155

13	Vérifier le positionnement les fonds de poche ensemble et piquer tout le tour à 1 cm. *Verify the position of the pocket sacks and stitch them together at 1 cm from the edge.*	
14	Maintenir les largeurs de passepoil par une surpiqûre dans le sillon de la première surpiqûre sur le passepoil. N.B.Veillez à consolider solidement cette piqûre. *Maintain the piping to the garment by topstitching over the 1st seam line at each end of the piping.* *Note: Reinforce the topstitching by backstitching at each end.*	
15	Repassage final. Oter les fils de bâti. *Final ironing.* *Remove the basting stitches.*	

NOTES /

Tracé Poche raglan
Outline for slanted welt pocket

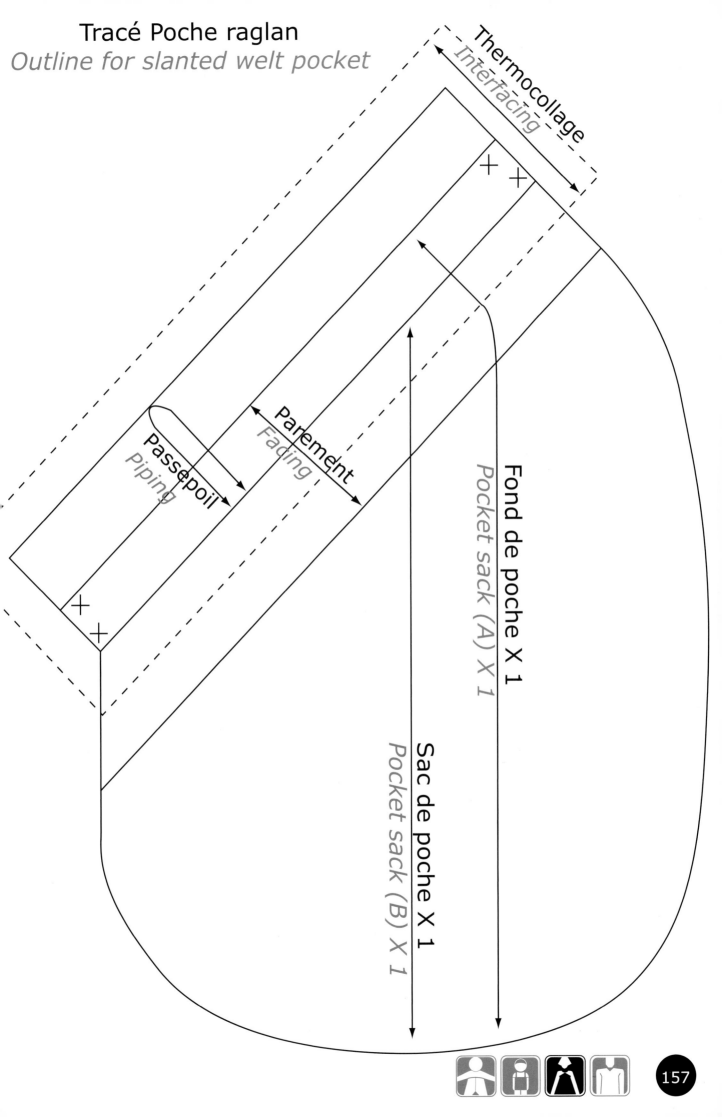

Thermocollage
Interfacing

Passepoil
Piping

Parement
Facing

Fond de poche X 1
Pocket sack (A) X 1

Sac de poche X 1
Pocket sack (B) X 1

Tracé Poche raglan
Outline for slanted welt pocket

Pointage
Markings ———→ + +

Vêtement
Garment
X 1

Repère de pose de passepoil
Piping position

Df - *Straight Grain*

Tracé Poche raglan
Outline for slanted welt pocket

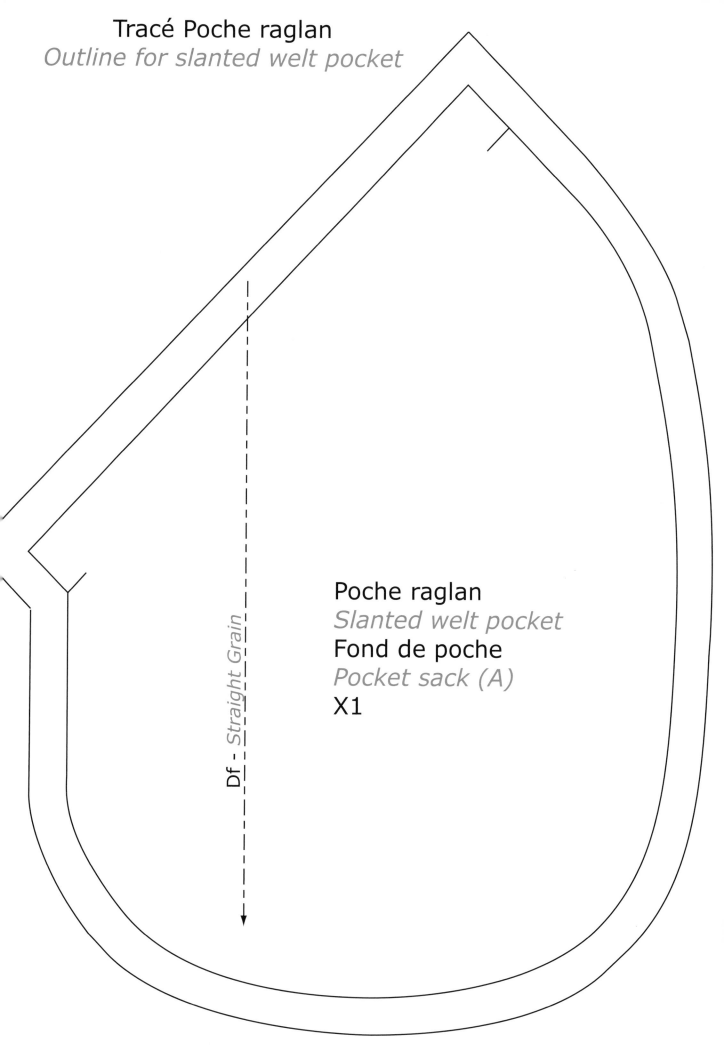

Df - *Straight Grain*

Poche raglan
Slanted welt pocket
Fond de poche
Pocket sack (A)
X1

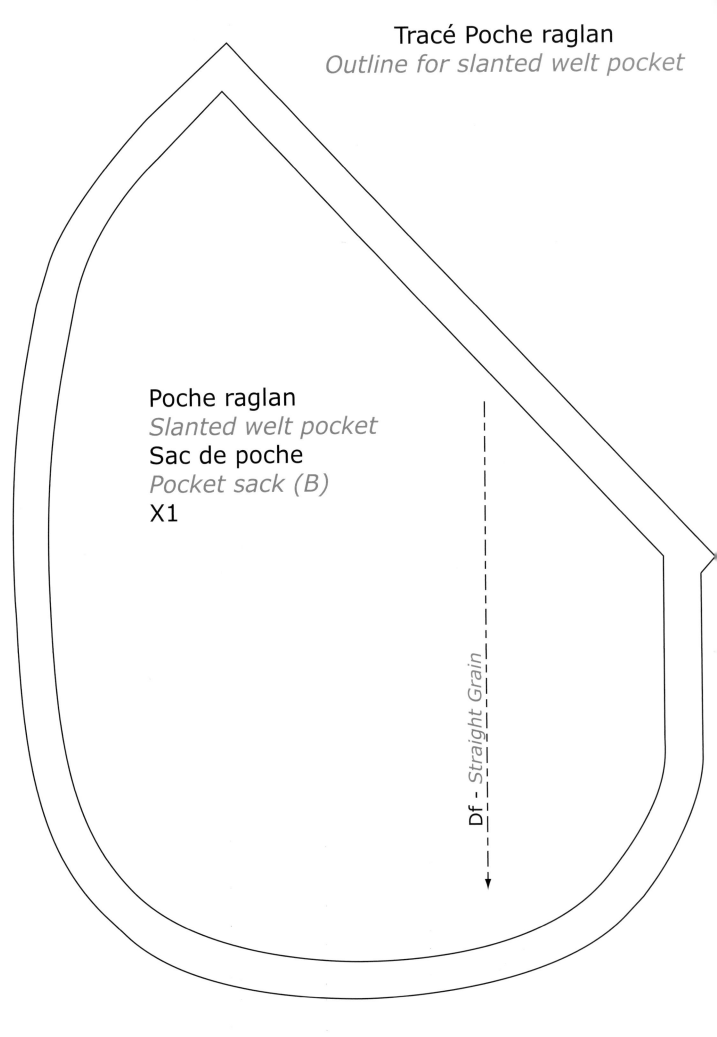

Tracé Poche raglan
Outline for slanted welt pocket

Poche raglan
Slanted welt pocket
Sac de poche
Pocket sack (B)
X1

Df - *Straight Grain*

Tracé Poche raglan
Outline for slanted welt pocket

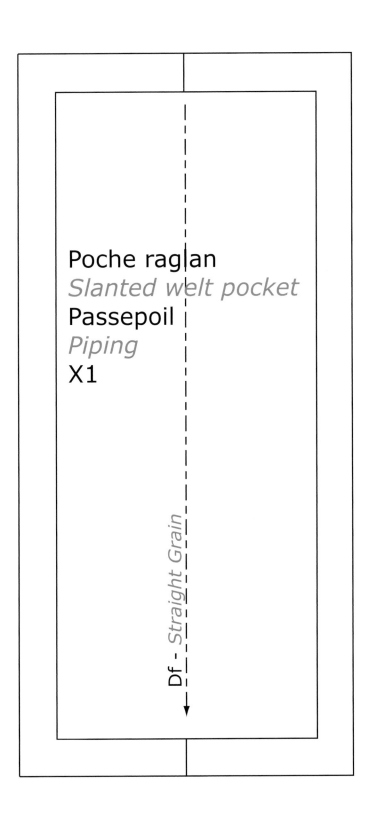

Poche raglan
Slanted welt pocket
Passepoil
Piping
X1

Df - *Straight Grain*

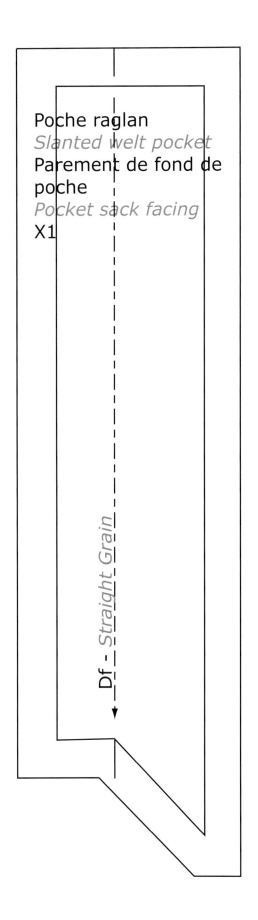

Poche raglan
Slanted welt pocket
Parement de fond de poche
Pocket sack facing
X1

Df - *Straight Grain*

Poche raglan
Slanted welt pocket
Thermocollant
Fusible interfacing
X1

Df - *Straight Grain*

POCHE GILET
WELT POCKET

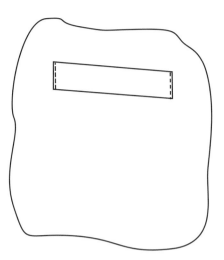

Éléments nécessaires :
- 1 devant de gilet avec pointage de l'emplacement du passepoil (tissu)
- 1 passepoil (tissu)
- 1 fond de poche (tissu ou doublure)
- 1 sac de poche (tissu ou doublure)

Necessary elements :
- *1 vest front with piping position markings (fabric)*
- *1 piece of piping (fabric)*
- *1 pocket sack (A) (fabric or lining)*
- *1 pocket sack (B) (fabric or lining)*

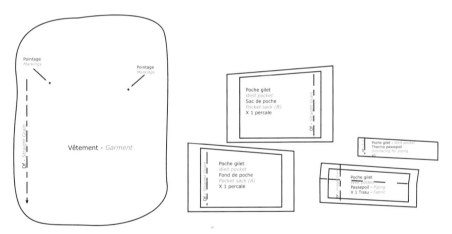

N°	**Opérations** *Procedures*	**Schémas** *Diagrams*
1	**Devant :** Préparer l'emplacement du passepoil en pointant l'emplacement et la largeur du bas du passepoil (épingles, craie tailleur, feutre tissu, etc.) sur l'endroit du tissu. *Front : Prepare the piping placement by marking the piping position, width, as well as the piping line on the right side of fabric. (Use pins, tailor's chalk, fabric marker, etc.)*	

Poches fendues :

2	Thermocoller à cheval l'emplacement du passepoil sur l'envers avec une triplure légère et stabilisante sur 3 cm de hauteur. Thermocoller également le passepoil avec le thermocollant prévu en patronage. *Iron the fusible interfacing astride the piping placement markings on the wrong side of fabric. (The interfacing is 3 cm wide.)* *Interface the piping with the pre-cut fusible interfacing according to the pattern.*	Passepoil - *Piping* Thermocollant *Interfacing*
3	Plier les extrémités du passepoil sur l'envers et cranter sur la pliure du passepoil en dégarnissant les épaisseurs. *Fold each end of the piping to the wrong side. Notch and clip on the piping foldline to reduce bulk.*	Passepoil - *Piping*
4	Assembler le haut du passepoil non thermocollé au haut du sac de poche à 0.5 cm du bord en plaçant le passepoil au centre de la largeur du sac de poche. Préformer la hauteur du passepoil et rabattre la couture vers le bas de passepoil. *Assemble the upper edge of piping (without interfacing) to the upper edge of the pocket sack (B) at 0.5 cm from the edge. The piping is positioned in the center of the pocket sack width.* *Fold, forming the piping width and fold the seam allowance towards the lower part of piping.*	
5	Plaquer le passepoil sur le bas de l'emplacement du vêtement avec 0.5 cm de couturage sur le passepoil. *Place the piping on the lower piping position markings on the garment. Stitch leaving a 0.5 cm seam allowance value on the piping.*	Haut du vêtement *Upper part of garment* Pointage de poche *Pocket markings*

6	Plaquer le fond de poche sur le vêtement en le positionnant au ras du montage du sac de poche. Piquer à 0.5cm du bord de la pièce parallèlement au premier montage en suivant l'orientation du passepoil (voir schéma : tracé du passepoil fini en pointillé). *Place the pocket sack (A) on the garment close to the pocket sack (B) assembly line. Stitch at 0.5 cm from the edge and maintain a parallel to the 1st assembly line. Follow the positioning of piping. (See diagram: finished piping outline = dotted line.)*	Passepoil fini *Finished piping*
7	Sur l'envers, fendre et cranter en capucin le vêtement uniquement, juste au milieu des piqûres. *On the wrong side of garment, and only on the garment, cut along the center line of the pocket opening, clip and notch diagonally at each corner.*	
8	Ouvrir le couturage entre le passepoil et le vêtement puis rabattre le sac de poche sur le passepoil. Positionner le sac de poche, épingler le bord du passepoil puis piquer le sac de poche au ras du couturage du vêtement pour maintenir le sac de poche (Piquer sur toute la largeur de la poche moins 0.5 cm de chaque côté). *Open the seam allowance between the piping and the garment, then fold the pocket sack (B) on the piping. Position the pocket sack (B), pin the edge of piping and stitch close to the garment seam line in order to maintain the pocket sack (B). (Stitch across the pocket width stopping at 0.5 cm before each end.)*	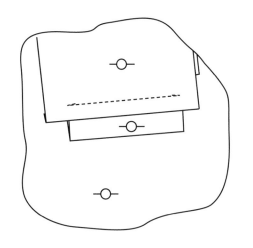

Poches fendues :

9	Retourner le sac et le fond de poche vers l'envers du vêtement. *Turn the pocket sacks (A and B) to the wrong side of garment.*	
10	Repasser le couturage du haut du fond de poche vers le bas. Positionner le passepoil en positionnant les angles crantés en « capucin » à l'intérieur du passepoil. Repasser et plaquer les extrémités du passepoil avec une surpiqûre nervure. Fermer les fonds de poche par une couture à 1 cm des bords. *Iron the seam allowance on the upper part of the pocket sack towards the bottom.* *Position the piping by folding the clipped seam allowance angles inside the piping.* *Iron and sew a row of ribbed topstitching at each end of the piping.* *Stitch the pocket sacks together with a 1 cm seam allowance value.*	
11	Repassage final. *Final ironing.*	

NOTES /

Tracé Poche gilet
Outline for welt pocket

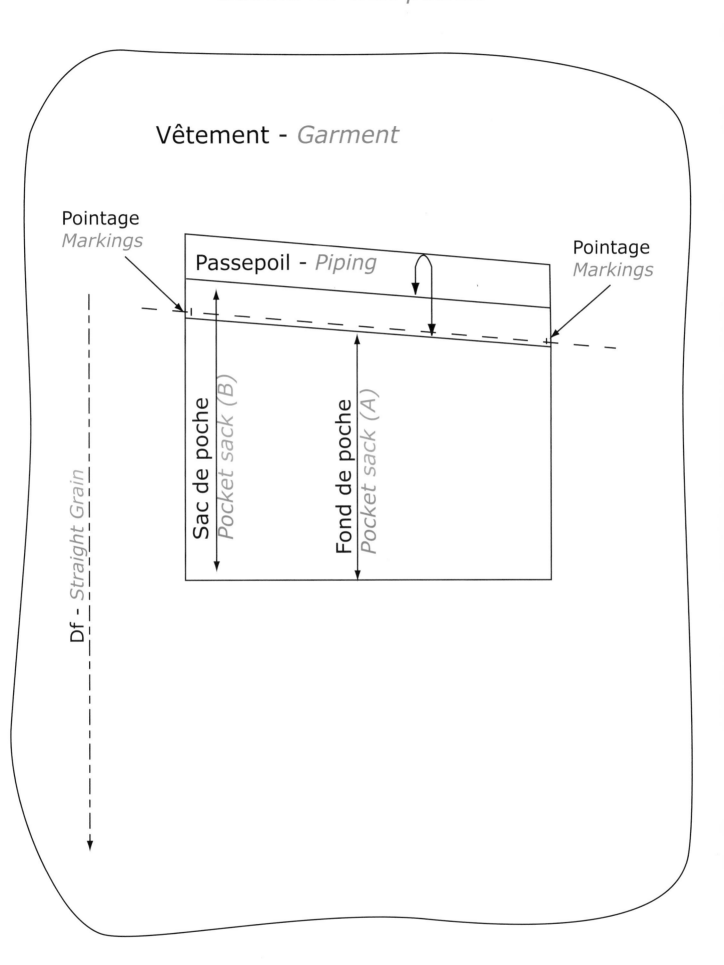

Vêtement - *Garment*

Pointage
Markings

Passepoil - *Piping*

Pointage
Markings

Sac de poche
Pocket sack (B)

Fond de poche
Pocket sack (A)

Df - *Straight Grain*

Tracé Poche gilet
Outline for welt pocket

Vêtement - *Garment*

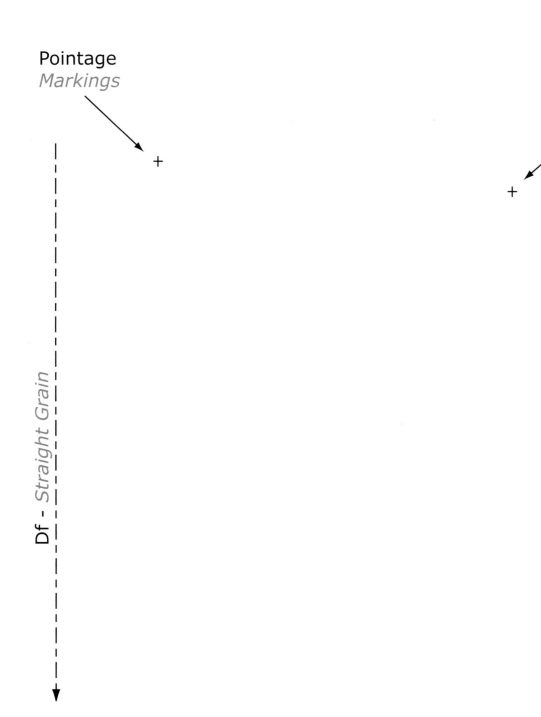

Pointage
Markings

Pointage
Markings

+

+

Df - *Straight Grain*

Df - S G ↓

Poche gilet - *Welt pocket*
Thermo passepoil
Interfacing for piping
x1

Df - *Straight Grain* ↓

Poche gilet
Welt pocket
Passepoil - *Piping*
X 1 Tissu - *Fabric*

Df - *Straight Grain* ↓

Poche gilet
Welt pocket
Sac de poche
Pocket sack (B)
X 1 percale

Df - *Straight Grain* ↓

Poche gilet
Welt pocket
Fond de poche
Pocket sack (A)
X 1 percale

POCHE POITRINE (Veston homme)
BREAST POCKET (Men's jacket)

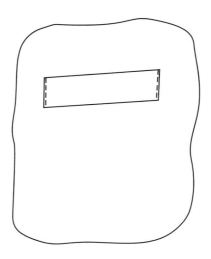

Eléments nécessaires :

- 1 devant de veston avec pointage de l'emplacement du passepoil (tissu)
- 1 parement ou garniture pour le fond de poche (tissu)
- 1 passepoil (tissu)
- 1 fond de poche (poltaise ou doublure)
- 1 sac de poche (poltaise ou doublure)
- 1 thermocollant pour le passepoil

Necessary elements :

- *1 jacket front with piping position markings (fabric)*
- *1 pocket sack facing (fabric)*
- *1 piece of piping (fabric)*
- *1 pocket sack (A) (pocketing or lining)*
- *1 pocket sack (B) (pocketing or lining)*
- *1 piece of fusible interfacing for piping*

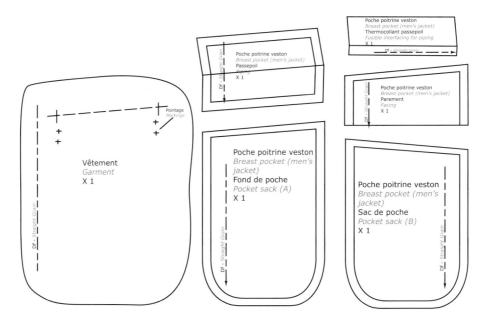

N°	Opérations *Procedures*	Schémas *Diagrams*
1	**Devant :** Préparer l'emplacement du passepoil en pointant l'emplacement et la largeur du bas du passepoil (épingles, craie tailleur, feutre tissu, etc.) sur l'endroit du tissu. *Front : Prepare the piping placement by marking the piping position, width, as well as the piping line on the right side of the fabric. (Use pins, tailor's chalk, fabric marker, etc.)*	
2	Thermocoller à cheval l'emplacement du passepoil sur l'envers avec une triplure légère et stabilisante sur 5 cm de hauteur. Thermocoller également le passepoil avec le thermocollant prévu en patronage. *Iron the fusible interfacing astride the piping placement markings on the wrong side of fabric. (The interfacing is 5 cm wide).* *Interface the piping with the pre-cut fusible interfacing according to the pattern.*	
3	Préparer en carton un gabarit correspondant au passepoil fini (hors couturage). *Prepare a cardboard template that corresponds to the finished piping.*	Gabarit - *Cardboard template*
4	Poser le gabarit sur le passepoil (valeur thermocollée) et replier les valeurs de couturage. Replier les valeurs de couturages de la partie non thermocolllée avec quelques millimètres en plus. Cranter les couturages sur la pliure. *Place the template on the piping (side with interfacing) and fold the seam allowance value.* *Fold the seam allowance value on the side without the thermofusing, adding several millimeters.* *Notch the seam allowance on the foldline.*	Gabarit - *Cardboard template* pliure - *foldline*

Poches fendues :

5	Plier ensuite le passepoil en deux dans le sens de la longueur (ligne de pliure) et repasser. Oter le gabarit. *Fold the piping lengthwise (on foldline) and iron.* *Remove the cardboard template.*	
6	Surfiler la largeur de bas de parement. *Overlock the lower edge of the facing.*	
7	Positionner la garniture sur le fond de poche envers contre endroit et appliquer par une piqûre au bord dans la partie surfil. *Place the wrong side of the facing on the right side of the pocket sack (A).* *Stitch along the edge of the facing on top of the overlocking.*	
8	Piquer le bord intérieur du passepoil avec le haut du sac de poche endroit contre endroit (positionner le passepoil au centre de la largeur de sac de poche). Retourner et repasser les coutures vers le bas. *With right sides together, assemble the inner edge of the piping to the upper edge of pocket sack (B).* *(Position the piping in the center of the pocket sack width.)* *Turn and iron the seam allowance towards the bottom.*	

9	Placer le couturage du passepoil (partie thermocollée) sur le pointage de l'emplacement de la poche sur le vêtement endroit contre endroit. Plaquer et piquer en arrêtant bien la couture aux extrémités. *With right sides together, place the piping seam allowance (side with interfacing) on the pocket placement markings on the garment.* *Stitch, stopping the seam with precision at each end.*	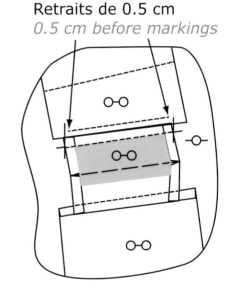
10	Placer le fond de poche endroit contre endroit du vêtement au ras du montage précédent. Piquer en parallèle à 1.5 cm maximum du premier montage et à 0.5 cm en retrait de chaque côté. *With right sides together, place the pocket sack (A) close to the edge of the seam line (Step 9).* *Stitch at 1.5 cm from the 1st seam line maintaining a parallel. The seam line stops at 0.5 cm before the markings.*	Retraits de 0.5 cm *0.5 cm before markings* 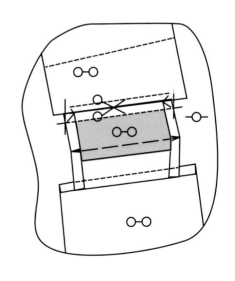
11	Couper et cranter le vêtement en « capucin » au milieu des deux coutures. *Cut the garment along the center line between the two rows of stitching. Notch diagonally at each corner.*	

12	Retourner les deux parties sur l'endroit. Ouvrir les deux coutures au fer. Positionner le passepoil en laissant les angles coupés en « capucin » derrière entre le passepoil et les fonds de poches. *Turn both pieces to the right side.* *Iron seams open.* *Position the piping and leave the clipped seam allowance angles between the piping and the pocket sacks (A and B).*	
13	Retourner le sac de poche ainsi mis en place et piquer au ras de l'assemblage précédent le couturage du passepoil avec le couturage de sac de poche. *Turn the pocket sack (B), maintaining it in place. Assemble the piping seam allowance to the pocket sack (B) seam allowance stitching close to the previous seam line.*	
14	Assembler les fonds de poche et les surfiler éventuellement si le vêtement n'est pas doublé. *Assemble the two pocket sacks. Overlock the edges if the garment is unlined.*	
15	Fixer les extrémités du passepoil par un point invisible ou une surpiqûre nervure en veillant de bien positionner ces extrémités en parallèle au DF. *Stitch each end of the piping to garment with an invisible stitch or with a row of ribbed topstitching. The piping ends must be parallel to the straight grain.*	
16	Repassage final. *Final ironing.*	

Tracé Poche poitrine (veston)
Outline for breast pocket (men's jacket)

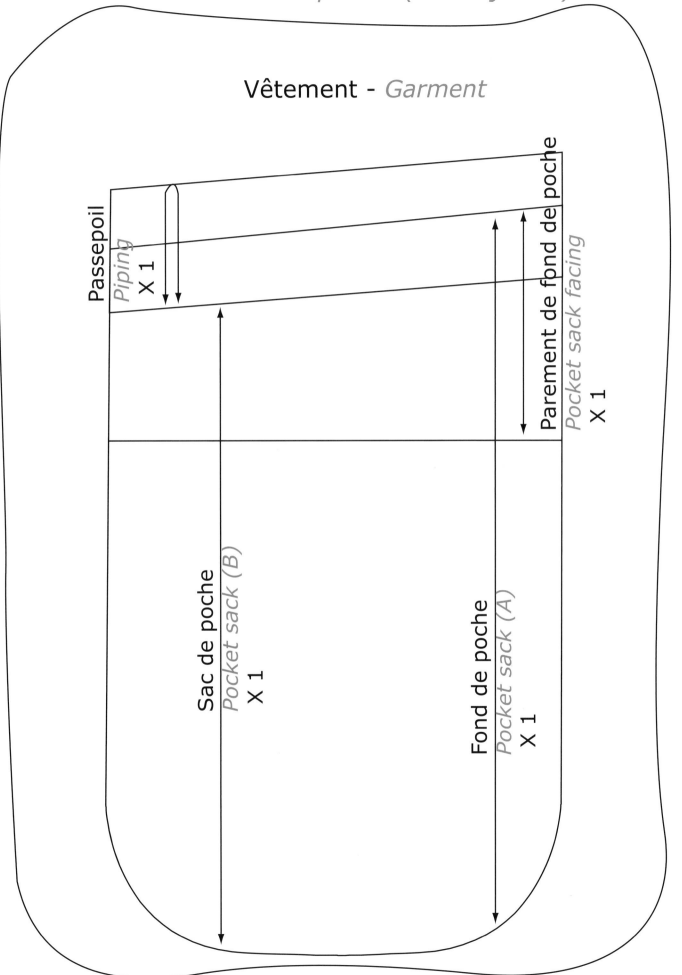

Vêtement - *Garment*

Passepoil
Piping
X 1

Parement de fond de poche
Pocket sack facing
X 1

Sac de poche
Pocket sack (B)
X 1

Fond de poche
Pocket sack (A)
X 1

Tracé Poche poitrine (veston)
Outline for breast pocket (men's jacket)

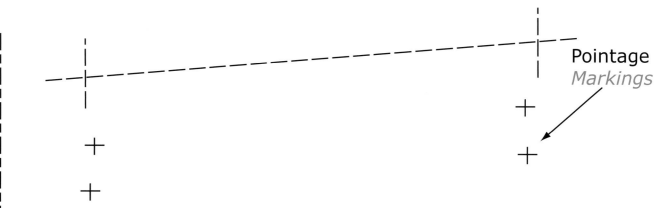

Pointage
Markings

Vêtement
Garment
X 1

Df - *Straight Grain*

Tracé Poche poitrine (veston)
Outline for breast pocket (men's jacket)

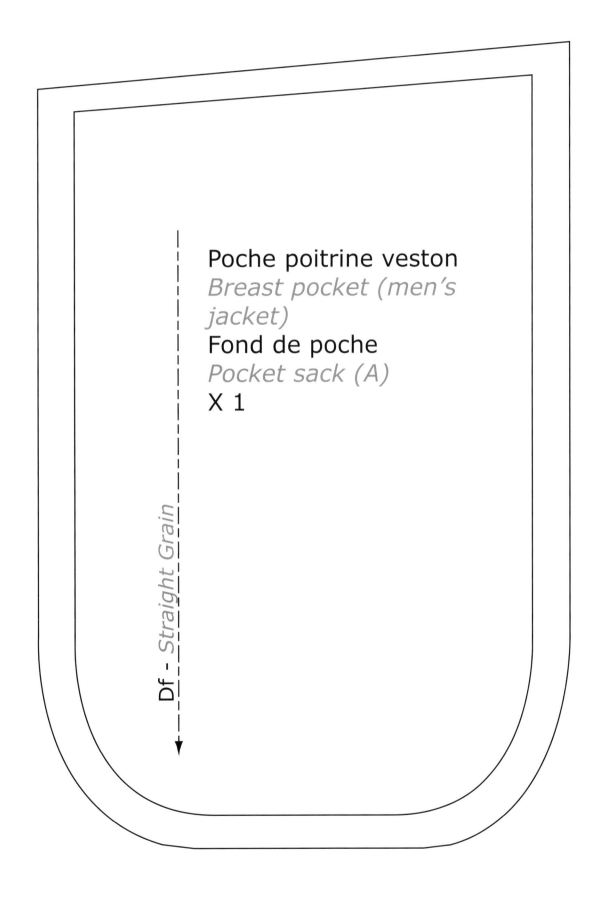

Poche poitrine veston
Breast pocket (men's jacket)
Fond de poche
Pocket sack (A)
X 1

Df - *Straight Grain*

Tracé Poche poitrine (veston)
Outline for breast pocket (men's jacket)

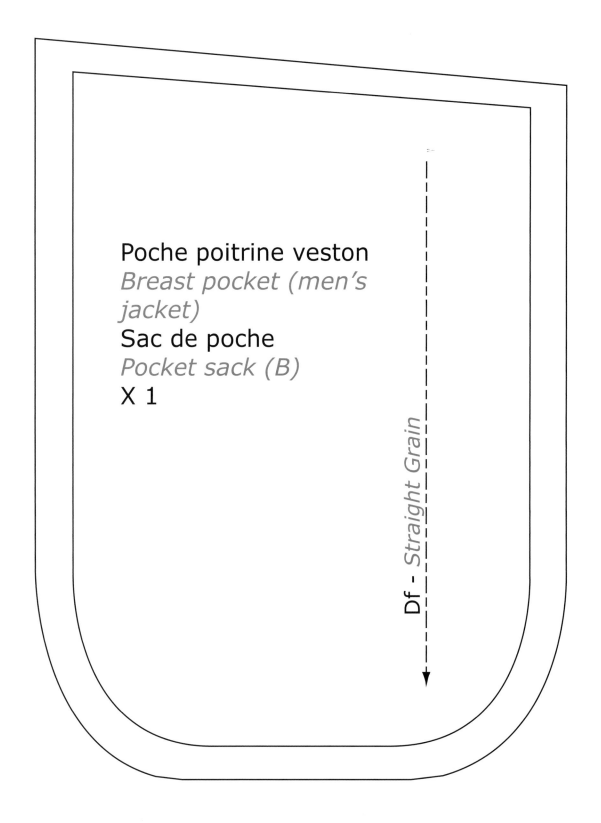

Poche poitrine veston
Breast pocket (men's jacket)
Sac de poche
Pocket sack (B)
X 1

Df - *Straight Grain*

Tracé Poche poitrine (veston)
Outline for breast pocket (men's jacket)

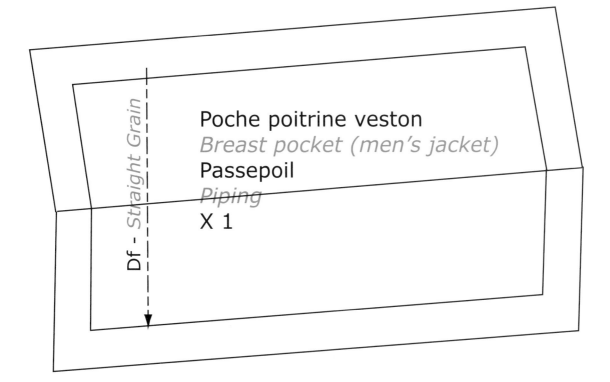

Poche poitrine veston
Breast pocket (men's jacket)
Parement
Facing
X 1

Df - *Straight Grain*

Poche poitrine veston
Breast pocket (men's jacket)
Passepoil
Piping
X 1

Df - *Straight Grain*

Poche poitrine veston
Breast pocket (men's jacket)
Thermocollant passepoil
Fusible interfacing for piping
X 1

Df - *Straight Grain*

POCHE REVOLVER (pantalon homme)
BACK HIP POCKET (men's trousers)

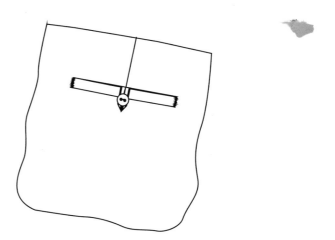

Eléments nécessaires :
- 1 dos de pantalon avec pointage de pince et de passepoil (tissu)
- 1 parement ou garniture pour le fond de poche (tissu)
- 1 parement comprenant la valeur de passepoil (tissu)
- 1 languette de boutonnage (tissu)
- 2 fonds de poche (percaline ou poltaise)

Necessary elements :
- *1 trouser back with dart and piping position markings (fabric)*
- *1 pocket sack facing (fabric)*
- *1 piece of facing that includes the piping value (fabric)*
- *1 buttonhole tab (fabric)*
- *2 pocket sacks (percaline or pocketing)*

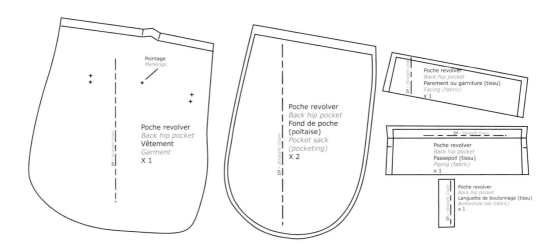

Pour une poche revolver en double passepoil, préparer le parement avec la valeur de hauteur de passepoil (0.5 cm) deux fois et positionner dans l'étape 13 deux passepoils de 0.5 cm de hauteur. Les maintenir par des épingles et les maintenir ensemble par un point de chausson.

Back hip pocket with double piping: Prepare the facing that includes the piping value (0.5 cm) twice. In (Step 13), position the two piping pieces with 0.5 cm widths. Use pins and a catch stitch to maintain both piping pieces.

N°	**Opérations** *Procedures*	**Schémas** *Diagrams*
1	**Languette de boutonnage :** Replier 0.5 cm de chaque côté sur la longueur de la languette, puis plier en deux et repasser. Piquer nervure (bande de 0.5 cm). ***Buttonhole tab :*** *Fold 0.5 cm lengthwise on either side of the tab. Fold in two (lengthwise) and iron. Sew a row of ribbed topstitching along edge (finished tab = 0.5 cm).*	
2	Plier la languette en deux et préparer la pointe en maintenant l'angle par un point de bourdon. Maintenir également le haut de la languette par un point de bourdon. *Fold the buttonhole tab in two and maintain the angle at tip with a bar tack.* *The upper part of the buttonhole tab is also maintained with a bar tack.*	
3	**Dos :** Préparer l'emplacement du passepoil en pointant les angles du passepoil à 0.2 cm vers l'intérieur du passepoil fini et le bout de la pince (épingles, craie tailleur, feutre tissu, etc.) sur l'endroit du tissu. ***Back :*** *Prepare the piping position on the right side of fabric by marking the corners at 0.2 cm inside of the finished piping size markings. Mark the dart tip. (Use pins, tailor's chalk, fabric marker, etc.)*	
4	Thermocoller l'emplacement du passepoil sur l'envers avec une triplure légère et stabilisante. Thermocoller également le passepoil et le parement. *Iron the fusible interfacing astride the piping placement markings on the wrong side of fabric.* *Interface the piping.*	

5	Surfiler la largeur au bas de chacune des pièces (parement et passepoil). *Overlock the lower lengthwise edge of each piece. (Facing and piping.)*	
6	Fermer la pince dos et la repasser soit fendue, puis ouverte ou couchée vers le côté. *Stitch the dart closed. Iron the dart, either slit and open, or folded towards the side seam.*	
7	Poser un des fonds de poche sur l'envers du pantalon et le maintenir à celui-ci par des épingles ou un bâti. *Place one of the pocket sacks on the wrong side of trouser back. Maintain together with pins or a basting stitch.*	
8	Sur l'endroit, placer la languette de part et d'autre de la pince à 0.5 cm de la ligne du passepoil. *On the right side of fabric, place the buttonhole tab astride the dart tip and 0.5 cm from the marked piping line.*	

9	Puis endroit contre endroit du pantalon, positionner le parement sur la languette et le passepoil au dessous de façon à ce que les deux pièces soient collées l'une à l'autre (prendre garde au sens des pièces). Epingler perpendiculairement sur chaque angle pointé sur le pantalon. N.B. Vous devez retrouver entre chaque épingle la largeur prévue pour le passepoil, soit 1 cm. *With right sides together, place the facing over the buttonhole tab (on the marked piping line) and the piping just below, so that both pieces are edge to edge. (Verify the direction of each piece.)* *Place pins perpendicular to each angle at pocket corner markings.* *Note: The value between each pin = piping width = 1 cm.*	
10	Piquer à 0.5 cm sur chaque pièce parallèlement au bord en faisant les points d'arrêt au début et à la fin des piqûres. *On each piece, stitch at 0.5 cm from the edge, maintaining a parallel. Backstitch at the beginning and the end of each seam line.*	
11	Fendre au milieu des deux piqûres puis couper les angles en capucin sur le vêtement et le fond de poche plaqué sur l'envers. *Cut the garment along the center line between the two rows of stitching. Clip and notch diagonally at each corner on the garment and the pocket sack.*	

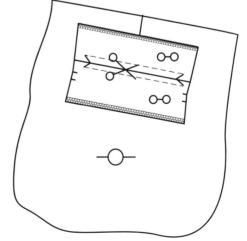

Poches fendues :

12	Retourner le parement et le passepoil sur l'envers du pantalon. Repasser la couture pantalon / passepoil (bas) en l'ouvrant et la couture pantalon / parement dirigée vers le haut. Epingler momentanément le parement vers le haut pour dégager la visibilité du montage du passepoil. *Turn the facing and the piping to the wrong side of the trousers. Iron the (lower) trouser/piping seam open and the trouser facing seam towards the upper part of trousers. Pin the facing towards the upper part of trousers in order to facilitate the piping assembly.* 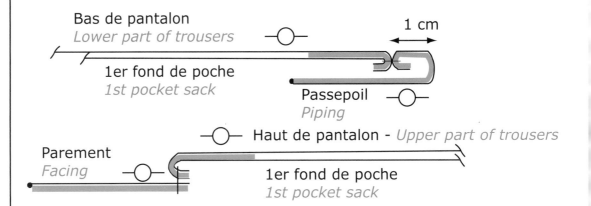
13	Plier le passepoil en formant 1 cm de repli de façon à positionner ce pli exactement sur le sillon du montage du parement au pantalon. Pour plus de régularité, laisser la languette à l'intérieur de la poche. Maintenir le passepoil ainsi formé par des épingles et repasser. N.B. Les angles coupés en capucin sont toujours visibles sur l'endroit du pantalon. *Fold the piping to obtain a 1 cm width. Position the piping foldline on the trouser/facing seam line. For a smoother seam, leave the buttonhole tab inside the pocket. Maintain the piping in place with pins and iron. Note: The clipped seam allowance angles remain on the right side of trousers.* 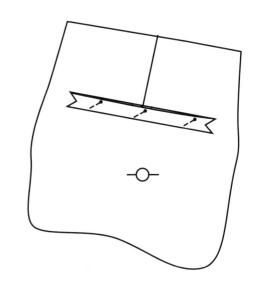
14	Piquer dans le sillon du passepoil pour maintenir sa largeur (avec points d'arrêt). *Stitch on the piping seam line to maintain the piping width. (Backstitch.)* 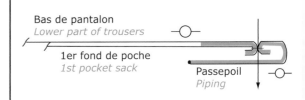

| 15 | Piquer le bas surfilé du passepoil sur le fond de poche.
Stitch the overlocked edge of piping to the pocket sack. | 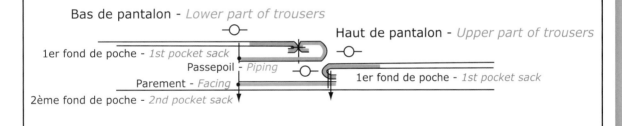 |

| 16 | Désépingler le parement et le rabattre vers le bas.
Positionner le deuxième fond de poche sur le premier.
Remove pins from the facing and fold it towards the bottom.
Place the 2nd pocket sack on the 1st pocket sack. |

| 17 | Maintenir le parement sur ce fond de poche en l'épinglant.
Rabattre le haut du fond de poche et le piquer dans le sillon du couturage de parement préalablement envoyé vers le haut.
Appliquer le bas surfilé du parement sur le fond de poche.
Pin the facing to the 2nd pocket sack.
Fold back the upper part of the pocket sack and stitch on the facing seam line.
Stitch the lower edge of the facing to the pocket sack.

 |

| 18 | Faire passer les crans coupés en capucin sur l'envers puis les piquer solidement sur le passepoil et les fonds de poches.
Slide the clipped seam allowance angles to the wrong side and stitch them to the piping and the pocket sacks. Reinforce the stitching. | 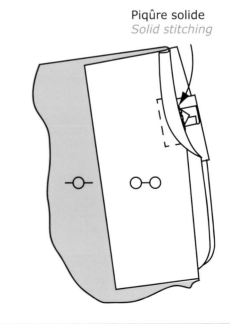 |

19	Assembler et surfiler ou coulisser les deux fonds de poche ensemble. *Assemble and overlock the two pocket sacks together.*	
20	Renforcer sur l'endroit les angles du passepoil par une barre en point de bourdon de chaque côté. *Reinforce the corners of the piping with bar tacks.*	
21	Repassage final. *Final ironing.*	

NOTES /

Tracé Poche revolver
Outline for back hip pocket

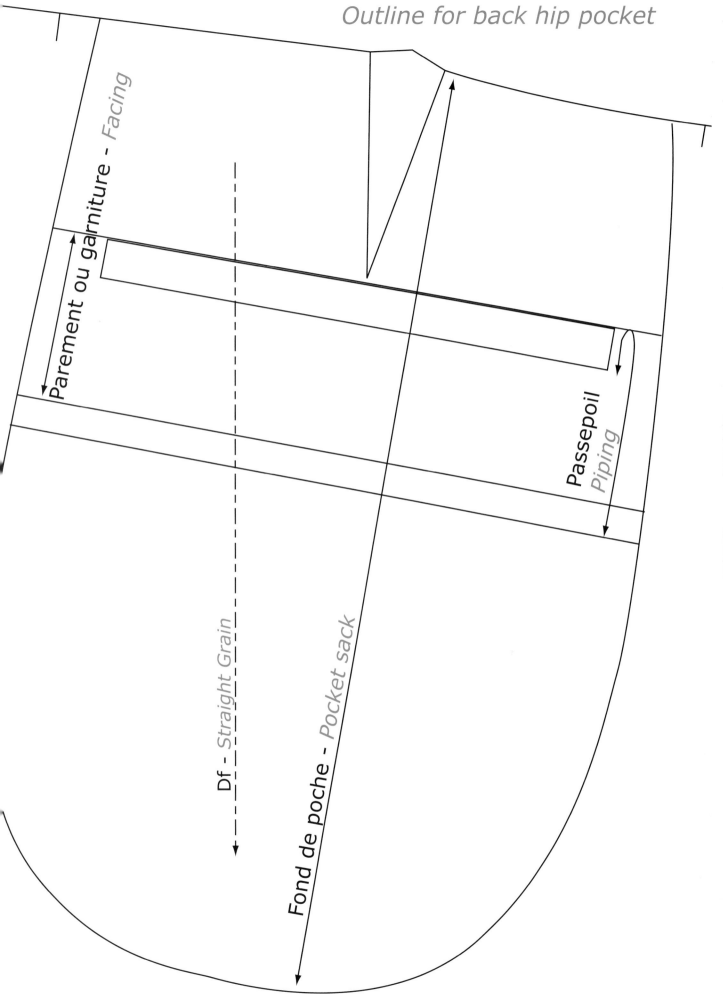

Parement ou garniture - *Facing*

Passepoil
Piping

Df - *Straight Grain*

Fond de poche - *Pocket sack*

187

Tracé Poche revolver
Outline for back hip pocket

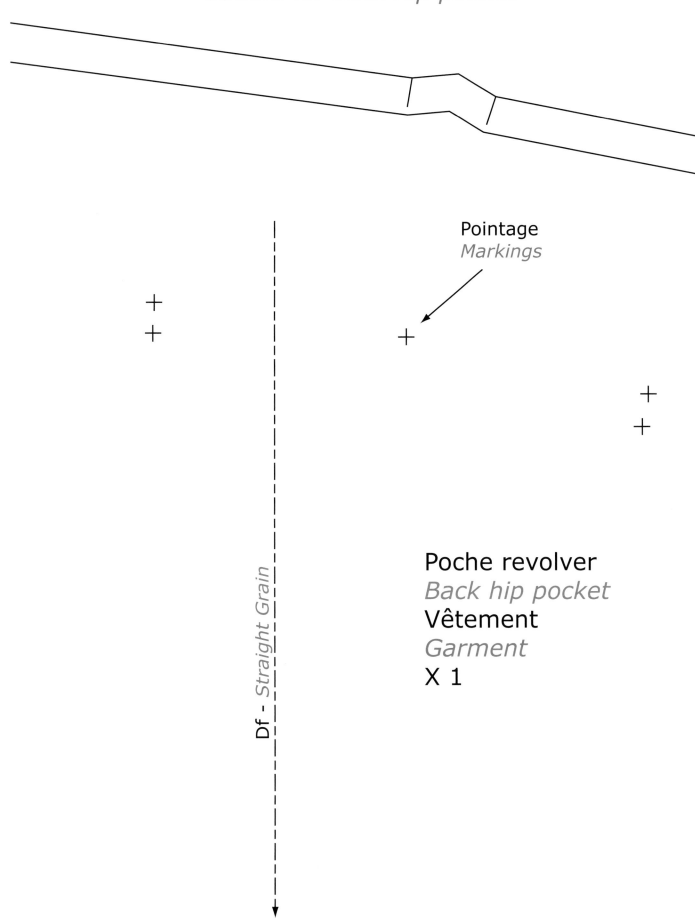

Pointage
Markings

Df - *Straight Grain*

Poche revolver
Back hip pocket
Vêtement
Garment
X 1

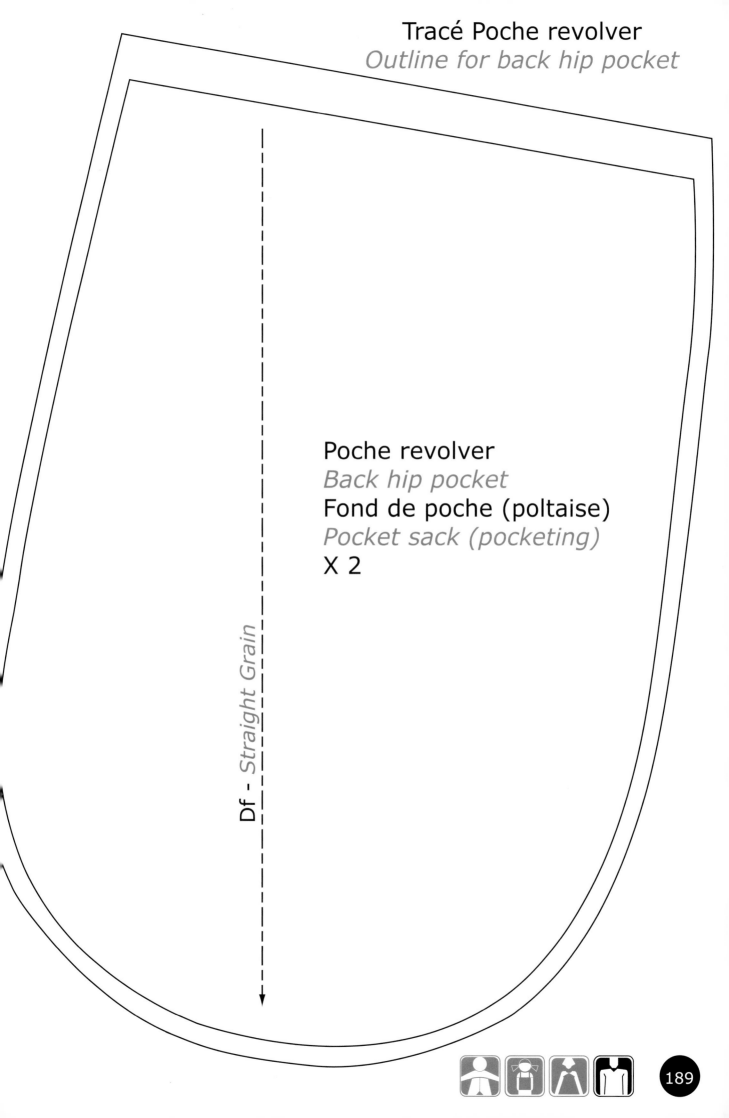

Poche revolver
Back hip pocket
Fond de poche (poltaise)
Pocket sack (pocketing)
X 2

Df - *Straight Grain*

Tracé Poche revolver
Outline for back hip pocket

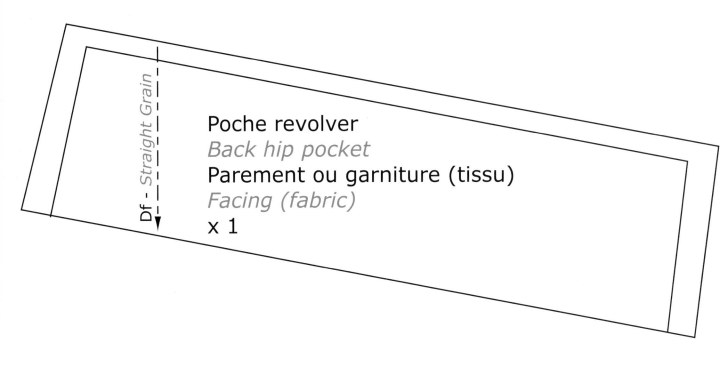

Df - *Straight Grain*

Poche revolver
Back hip pocket
Parement ou garniture (tissu)
Facing (fabric)
x 1

Df - *Straight Grain*

Poche revolver
Back hip pocket
Passepoil (tissu)
Piping (fabric)
x 1

Df - *Straight Grain*

Poche revolver
Back hip pocket
Languette de boutonnage (tissu)
Buttonhole tab (fabric)
x 1

Tableaux d'ouverture de poches verticales, raglan et horizontales ENFANT

Measurement chart : Vertical, slanted and horizontal pocket openings for children's wear

| Enfant (Children) | Taille (Size) | Ouverture poche verticale sur robe, jupe, pantalon (Vertical pockets for dresses, skirts, trousers) | | | Ouverture poche verticale manteau (Vertical pockets for coats) | | Ouverture poche raglan manteau (Slanted pockets for coats) | | Ouverture poche italienne (Slant pocket) | Ouverture poche quart de rond (Front hip pocket) | |
Age	Size	Valeur d'ouverture (Opening length)	Hauteur de l'ouverture sous la ligne de taille (robe) (Opening length below waistline dress)	Hauteur de l'ouverture sous la ligne de taille (jupe, pantalon) (Opening length below waistline skirt, trousers)	Valeur d'ouverture (Opening length)	Hauteur de l'ouverture sous la ligne de taille (Opening length below waistline)	Valeur d'ouverture (Opening length)	Hauteur de l'ouverture sous la ligne de taille (Opening length below waistline)	Pantalon (Trousers)	Pantalon — A partir de la taille (from waistline)	Pantalon — A partir de la ligne de côté (from side seam line)
12M	74	10	0	1.5	9.5	2	10	2.5	9.5	5.5	6
18M	80	10.5	0.5	2	9.5	2	10.5	2.5	10	5.75	6.25
2	86	11	1	2.5	10	2.5	11.25	3	10.5	6	6.5
3	98	11.5	1.5	3	10.5	2.5	12	3	10.75	6.25	6.5
4	104	12	2	3.5	11	3	12.75	3.5	11	6.5	7
6	116	12.5	2.5	4	12	3.5	13.5	4	11.5	7	7
8	128	13	3	4.5	13	4	14.25	4.5	12	7.5	7.5
10	140	13.5	3.5	5	14	4.5	15	5	13	8	8
12	152	14	4	5.5	15	5	15.75	6.5	14	8.5	8.5
14	164	14.5	4.5	6	15	6.5	16.5	7	15	9	9

Tableaux d'ouverture de poches verticales, raglan et horizontales FEMME

Measurement chart : Vertical, slanted and horizontal pocket openings for women's wear

Femme / *Women*	Ouverture poche verticale sur robe, jupe, pantalon / *Vertical pockets for dresses, skirts, trousers*			Ouverture poche verticale manteau / *Vertical pockets for coats*		Ouverture poche raglan manteau / *Slanted pockets for coats*		Ouverture poche italienne / *Slant pocket*	Ouverture poche quart de rond / *Front hip pocket*	
	Valeur d'ouverture / *Opening length*	Hauteur de l'ouverture sous la ligne de taille (robe) / *Opening length below waistline (dress)*	Hauteur de l'ouverture sous la ligne de taille (jupe, pantalon) / *Opening length below waistline (skirt, trousers)*	Valeur d'ouverture / *Opening length*	Hauteur de l'ouverture sous la ligne de taille / *Opening length below waistline*	Valeur d'ouverture / *Opening length*	Hauteur de l'ouverture sous la ligne de taille / *Opening length below waistline*	Pantalon / *Trousers*	Pantalon — A partir de la taille / *from waistline*	Pantalon — A partir de la ligne de côté / *from side seam line*
Taille / *Size*										
36	14	4	3	15	5	16.5	5	15	5	10.5
38	14	4	3	15	5	16.5	5	15.25	5.25	10.75
40	14	4	3	15	5	16.5	5	15.5	5.5	11
42	14.5	4.5	3.5	15.5	5.5	17	5.5	15.75	5.75	11.25
44	14.5	4.5	3.5	15.5	5.5	17	5.5	16	6	11.5

Tableaux d'ouverture de poches verticales, raglan et horizontales HOMME

Measurement chart : Vertical, slanted and horizontal pocket openings for men's wear

Homme Pantalon	Ouverture poche verticale		Ouverture poche italienne	Ouverture poche revolver		Ouverture poche quart de rond	
Men's trousers	*Vertical pockets*		*Slant pockets*	*Back hip pockets*		*Front hip pockets*	
Taille	Valeurs d'ouverture	Hauteur de l'ouverture sous la ligne de taille	Hauteur d'ouverture à 3 cm de la ligne de côté	Valeurs d'ouverture	Hauteur de l'ouverture sous la ligne de taille	A partir de la taille	A partir de la ligne de côté
Size	*Opening length*	*Opening length below waistline*	*Opening length from 3 cm below waistline*	*Opening length*	*Opening length below waistline*	*from waistline*	*from side seam line*
38	15.5	2.75	16.5	14	5	7.5	10
40	15.5	3	16.5	14	5.25	7.75	10.25
42	16	3.25	17	14	5.5	8	10.5
44	16	3.5	17	14.5	5.75	8.25	10.75
46	16.5	3.75	17.5	14.5	6	8.5	11

Tableaux d'ouverture de poches verticales, raglan et horizontales HOMME

Measurement chart : Vertical, slanted and horizontal pocket openings for men's wear

Homme Pièces à manches / Men's Jackets / Coats — Taille / Size	Ouverture poche verticale manteau / Vertical pockets : coats — Valeurs d'ouverture (Opening length)	Ouverture poche verticale manteau — Hauteur de l'ouverture sous la ligne de taille (Opening length below waistline)	Ouverture poche raglan manteau (valeur plus grande qu'en verticale en raison des surpiqûres qui rétrécissent l'ouverture de poche) / Slanted pockets : coats — Valeurs d'ouverture (Opening length)	Ouverture poche raglan manteau — Hauteur de l'ouverture sous la ligne de taille (Opening length below waistline)	Ouverture poche passepoilée horizontale veston / Horizontal piped pockets : jackets — Valeurs d'ouverture (Opening length)	Ouverture poche passepoilée horizontale veston — Hauteur de l'ouverture sous la ligne de taille (Opening length below waistline)	Ouverture poche poitrine veston (à la hauteur du dessous d'emmanchure) / Breast pockets : jackets (armhole level) — Valeurs d'ouverture (descendue de 2 cm en parallèle au milieu devant) (Opening length lowered 2 cm and parallel to center front)	Ouverture poche intérieure veston / Inside pockets : jackets — Valeurs d'ouverture (3 cm sous la poche poitrine) (Opening length 3 cm below breast pocket)
44	16	6	17.5	5	15.5	6	10	14
46	16	6.25	18	5.25	15.5	6.25	10	14
48	16.5	6.5	18.5	5.5	16	6.5	10.5	14
50	16.5	6.75	19	5.75	16	6.75	10.5	14.5
52	17	7	19.5	6	16.5	7	11	14.5
54	17	7.25	20	6.25	16.5	7.25	11	14.5

LEXIQUE

Agrafe Jockey : (Hook & bar) Agrafe invisible sur l'extérieur de la ceinture du pantalon d'homme, constituée de quatre parties à implanter entre les épaisseurs de ceinture.

Araignée : (Double-faced fusible tape) Bande ou film thermocollant double face pour glacer deux parties de tissu ensemble par simple pressage (ourlet, parementure,…)

Araser : (Trimming) Dégarnir le ou les couturage(s) au ras de la couture d'assemblage.

A même : (One-Piece) Se dit d'une partie de vêtement qui est construite sur une autre partie sans couture. Ex : Col chemisier à pied de col à même : col dont le pied de col est adjoint au tombant de col sans couture, donc en un seul morceau.

Application : (Applied piece) Pièce de patronage posée sur une pièce principale pour renforcer ou décorer.

Assise : (Reinforcing patch) Petite pièce de tissu ou d'entoilage thermocollant qui se glisse entre deux épaisseurs de tissu à l'emplacement d'une boutonnière pour la consolider lors de sa confection dans un tissu léger.

Bagué : (Pad stitch) Point d'assemblage interne entre une toile tailleur et un tissu de manière invisible sur l'extérieur. Voir Glaçage.

Barre : (Bar tack) Points zig zag très serrés fait à la machine sur une petite distance pour renforcer les points d'usure d'un vêtement ou des endroits sensibles à la déchirure (arrivée de passepoil, fin de surpiqûre de couteau sur une braguette,…).

Bougran : (Buckram) Toile interne d'apprêt utilisée dans les pièces légères pour parfaire la netteté d'un bord de couture. Ex : Parementure du gilet d'homme.

Brider : (Bind) Serrer.

Capucin : (Capucin) Forme en Chapeau pointu. On peut trouver une forme capucin dans le haut d'une patte de boutonnage de manche ou d'une patte polo. Fendre ou cranter en capucin correspond à un crantage à 45° par rapport à la fin d'une couture, dans un angle le plus souvent.

Ceinture anglaise : (Ribbon-backed waistband) Bande de finition interne avec 2 bandes de gomme de retenue pour la chemise, posée sur l'intérieur de la ceinture du pantalon de ville masculin.

Chaîne : (Warp) Fils parallèles d'un tissage correspondant à la longueur du tissu et perpendiculaires à la trame.

Cigarette : (Sleeve head) Etroite bande de rembourrage posée au bord de l'emmanchure de manche pour remplir la tête de manche et la soutenir en aidant la résorption de l'embu de manche.

Couteau : (Trouser fly topstitching) Surpiqûre de maintien décorative visible sur l'endroit de la braguette d'un pantalon. Le couteau peut se finir en courbe ou en angle.

Couturage : (Seam allowance) Mesure rajoutée au patronage pour effectuer les coutures. Cette mesure peut être à différentes hauteurs (0.5 cm, 0.75 cm, 1 cm ou plus) selon l'endroit où elle se trouve, les machines à coudre employées (plate traditionnelle

ou surjeteuse,…) ou la fantaisie de la couture. Dans la plupart des cas, elle se situe à 1 cm du tracé et toujours parallèlement, sauf dans des cas particuliers comme la relarge d'enfourchure dos d'un pantalon d'homme.

Coulisse : (Tunnel) Tunnel de tissu formé par une bande ou un ourlet dans lequel passe une bande du même tissu ou un cordelette permettant ainsi au volume de se rétracter en formant des fronces.

Coulissage : (Fitted Assembly) Montage de deux lignes identiques donc de même forme endroit contre endroit, quelquefois en insérant une autre pièce entre les deux. Ex : coulissage d'un pied de col en insérant le tombant de col déjà préparé entre les deux parties de pied de col.

Coupé bord franc : (Clear-cut Edge) Les patronages coupés bord franc sont sans valeur de couturage. Leur montage suppose donc une application sur une pièce avec couturage. S'utilise avec des tissus sans effilochage.

Coussin ou Cochon : (Tailor's ham) Forme en courbe de différentes grosseurs ressemblant à un jambon, d'où son nom « cochon », « ham » en anglais. Ses différentes courbes permettent d'y poser les parties de vêtement à préformer à la vapeur comme la poitrine d'un veston ou l'arrondi d'un col tailleur.

Cran : (Notch) Entaille perpendiculaire au bord sur le tissu (à découper au moment de la coupe des pièces du vêtement sur 0.5 cm). Le cran sert à repérer des indications de montage comme une pliure, la position d'une pièce par rapport à une autre.

Cranter : (Bevel) Couper les couturages perpendiculairement au bord du tissu ou en biseau pour permettre à ceux-ci de se placer, notamment lors d'un retournement de deux épaisseurs cousues endroit contre endroit.

Croisure : (Cross-over) Valeur ajoutée au milieu devant ou au milieu dos pour permettre l'entrecroisement de deux pièces et leur boutonnage = ½ croisure. L'addition de cette valeur sur chaque pièce forme la croisure.

Dégarnir : (To trim) Enlever l'excédent d'un couturage, une fois la couture réalisée : Soit en parallèle au bord sur une seule épaisseur pour alléger celle-ci. Dans ce cas, on dégarnit un des couturages de 1 cm à 0.5 cm pour graduer les épaisseurs, notamment lorsqu'on retourne envers contre envers. Le couturage dégarni est toujours celui contre la partie visible du vêtement.
Soit en biseau dans un angle, par exemple, pour permettre à la forme de se reconstituer lors du retournement de celui-ci.

Droit fil / D.F. : (Straight grain /S.G.) Sens du fil parallèle à la lisière du tissu.
    Milieu droit fil : Le patronage d'un vêtement est toujours établi par moitié, à l'exception du cas particulier d'un vêtement asymétrique. Le milieu du devant est donc le plus souvent en droit fil. Dans ce cas, cette annotation sera écrite sur la ligne de tracé du patronage.
    Milieu au pli : Le milieu de la pièce est sans couture et D.F. C'est souvent le cas dans le milieu du dos. Dans ce cas, cette formule sera à noter sur la ligne de tracé du patronage.

Droite ligne / D.L. : (Straight line / S.L) Sens du droit fil sur un patronage papier.

Embu : (Ease) Valeur en surplus obligatoire notamment dans le montage d'une manche montée sur une emmanchure. Cette valeur permet à la manche de prendre la forme de la rondeur de l'épaule ou de l'épaulette (voir répartir l'embu).

Emboîter : (To encase) Positionner deux formes identiques l'une dans l'autre endroit contre endroit.

Enforme ou Ourlet de propreté : (Facing or Faced hem) Finition intérieure de même tissu que le vêtement. C'est l'empreinte exacte du bord du patronage en parallèle à celui-ci.

Entoilage : (Wool canvas) Toile de laine ou toile de laine et crin traditionnelle, utilisées dans la structure interne d'une veste ou d'un veston (voir triplure).

Entournure : (Armpit) Se dit de l'emmanchure du vêtement.

Epaulette : (Shoulder pad) Coussinet de mousse ou/et de feutre reprenant la forme de l'épaule et permettant une surélévation de celle-ci pour changer l'allure d'un modèle. Différentes formes accompagnent les différences formes d'épaule et évidemment de manches (épaulette montée, tailleur, raglan, basse,...).

Finition : (Finishing) Détail d'embellissement d'une pièce ou d'un vêtement (bordé, biais, ourlet, ganses,...)

Fond de poche : (Pocket lining) Partie intérieure de la poche suivant la forme du sac de poche et se positionnant sur le fond du vêtement, c'est-à-dire le plus près du corps.

Fourreau : (Sheathed Assembly) Assemblage de pièces de même forme endroit contre endroit en enfermant les couturages à l'intérieur sans surpiqûre.

Fronçage : (Gathering) Action de rétracter la longueur d'une pièce uniformément afin de répartir ce volume en le cousant sur une autre pièce.

Gabarit : (Template) Forme sans couturage coupée en carton rigide ou confectionnée en métal et servant de guide pour préformer une pièce ou suivre une surpiqûre (Couteau de braguette, application de poche plaquée,...).

Garniture : (Facing or Trimming) Pièce (de même tissu que le vêtement) appliquée ou incrustée sur une pièce interne de doublure, de percale, ou de poltaise de façon à habiller la partie accessoirement visible de cette pièce. Voir Parement.

Glaçage : (Glazing) Action d'associer par un point de bagué ou de glaçage deux épaisseurs de tissu ensemble (toile tailleur + tissu ou deux tissus ensemble pour des effets réversibles).

Grignage : (Puckering) Très léger fronçage entre deux coutures. Le grignage doit être évité notamment dans le montage d'une courbe avec une ligne plus droite.
Toutefois, il peut advenir en raison du réglage du point de machine avec une aiguille trop grosse qui casse les fibres ou un entraînement du pied de biche insuffisant.
Il peut aussi être recherché pour enrichir l'aspect sport d'un vêtement sportswear.

Hausse : (Waistband finishing) Bande de finition interne de ceinture de pantalon d'homme. Voir Ceinture anglaise.

Hirondelle : (Reinforcement ½ circle) Pièce arrondie posée à cheval sur l'enfourchure du pantalon de ville d'homme pour empêcher l'usure de frottement de l'entrejambe.

Incrustation : (Inlay) Assemblage entre deux pièces dont les angles sont en opposition. Ex : un angle aigu avec un angle obtus reconstituant 360° pour obtenir une surface plane ou deux angles de degrés non complémentaires constituant un volume par leur montage.

Jeannette : (Sleeve board) Petite planche à repasser posée sur un pied qui permet de passer des parties étroites de vêtement afin d'ouvrir des couturages ou repasser des formes déjà montées en circulaire (Tube de manche ou jambe de pantalon). La partie supérieure en courbe permet de positionner une tête de manche pour la préformer.

Nervurer : (Ribbed topstitching) Surpiquer très près d'une couture (1 à 2 mm).

Nervurer en arête : (Ribbed pleat edge) Surpiquer un pli envers contre envers à 1 m du bord de pliure pour marquer une ligne.

Kapok : (Kapok) Matière synthétique ou végétale utilisée pour le rembourrage des bras de mannequin.

Ourlet : (Hem) Valeur de couturage positionnée en bas d'une pièce (bas de manche ou de jupe) et retournée sur l'envers pour finir proprement un bord. Voir rempli.

Parement : (Facings) Pièce de même tissu que le vêtement appliquée ou incrustée sur une pièce interne de doublure, de percale, ou de poltaise de façon à habiller la partie accessoirement visible de cette pièce. Se dit aussi d'un rabat de poche dans le vêtement militaire. Cf. : garniture.

Parementure : (Facing) Pièce d'habillage du milieu devant et de la croisure coupée dans le même tissu que le vêtement et suivant la forme des bords extérieurs.

Passepoil : (Piping) Bande de même tissu que le vêtement nécessaire à créer une ouverture de poche dans un pan du vêtement. Il peut être à même (sans couture) ou rapporté au vêtement.

Passe-carreau ou bloc à marteler : (Clapper or pounding block) Confectionné dans du bois de hêtre, il sert à ouvrir les coutures. Le bout de sa forme en pointe permet de retourner les pointes de col. Son socle, en bois lui aussi, permet d'écraser les coutures en gardant la vapeur et la chaleur dans le tissu. Parfait pour parfaire la netteté de vos coutures dans les tissus à forte teneur naturelle en élasticité comme la kératine dans la laine.

Pattemouille : (Dampened presscloth) Etoffe de coton déjà patinée par l'usure, mouillée et tordue, que l'on intercale entre le fer à repasser et le vêtement pour le protéger du lustrage. L'humidité permet d'accentuer l'action de la vapeur sans mouiller le tissu.

Patte sèche : (Dry presscloth) Etoffe de coton déjà patinée par l'usure, que l'on intercale entre le fer à repasser et le vêtement pour le protéger du lustrage ou du calandrage.

Plaquer : (To patch) Assembler par une piqûre machine une pièce sur une autre.

Point de chausson : (Catch stitch) Point d'ourlet fait à la main permettant de laisser entre l'ourlet et le vêtement, une certaine fluidité. Utile dans des tissus mobiles susceptibles de déformations après le montage.

Pointage : (Pointing) Point positionné sur le patronage pour placer un emplacement précis dans le milieu d'une pièce. Ex : pointage de passepoil = croix de positionnement sur le patronage reportée sur le tissu par un petit trou (pointeuse industrielle) ou une marque faite à la craie tailleur ou bâti à la main.

Poltaise : (Pocketing) Percaline de coton renforcée et traitée anti-usure utilisée pour les fonds de poche de pantalon d'homme.

Pont : (Fly tab) Valeur de rempli le long de la braguette se positionnant assemblée ou à même de la partie droite (au porter) dans le pantalon femme et à gauche dans le pantalon homme.

Préformer : (To shape) Préparer la forme par le pressage de celle-ci.

Pressage : (Pressing) Action d'appui d'un fer à repasser avec de la pression mais sans va-et-vient comme dans le repassage. Le pressage se fait après avoir mis sous vapeur la matière à presser. Le pressage est une action de finissage de couture qui permet d'aplatir les étoffes lourdes et d'éviter le lustrage de certaines matières.

Rabattage : (Felling) Après les montages du bord de deux pièces de même forme endroit contre envers, on rabat la pièce endroit sur l'endroit de l'autre pièce pour en appliquer le bord par une piqûre nervure (Rabattage d'enforme d'encolure).

Rabattre : (To turn down) Positionner le sens d'un ou des couturage(s) dans un sens ou dans l'autre.

Raccord : (Notch) Trait marqué perpendiculairement au bord du patronage, à utiliser pour assembler deux pièces.

Rapportée : (Sewn on) Se dit d'une pièce qui est cousue à une autre.

Rehausse : (Saddle yoke) Partie d'empiècement dos du pantalon jean.

Relarge : (Extra seam allowance) Valeur de couturage rajoutée en surplus à certains endroits d'un vêtement pour permettre des retouches plus aisées après confection.

Rempli : (Felled hem) Ourlet dans le vocabulaire industriel.

Rempli simple : (Simple felling hem) Ourlet simple, c'est-à-dire pliage simple au bord surjeté et appliqué par piqûre visible au niveau du surfil ou par un point invisible.

Rempli double : (Double felling hem) Ourlet double, c'est-à-dire pliage double (1 cm de couturage + valeur de l'ourlet visible) appliqué par une piqûre nervure visible.

Remplier : (To fold) Retourner les valeurs d'ourlet.

Rentré : (Folded value) Valeur de couturage repliée sur elle-même.

Répartir l'embu : (Ease distribution) La répartition de l'embu est très importante. Cette valeur en excédent doit accompagner une forme, sans froncage. Les valeurs d'embu doivent être localisées grâce à la correspondance des crans entre les deux pièces à assembler.

Sac de poche : (Pocket sack) Partie intérieure de la poche suivant la forme du fond de poche et l'ouverture de celle-ci et se positionnant contre le vêtement.

Sous-pont : (Fly tab facing) Valeur de garniture assemblée au milieu devant d'un pantalon, servant de croisure et de propreté au montage du zip ou du boutonnage. Sur le devant gauche dans le pantalon femme et droit dans le pantalon d'homme.

Soutenir : (To ease in) 2 coutures n'ayant pas tout à fait la même longueur doivent être assemblées sans grignage. Ex : Montage d'une découpe de poitrine.
(Ne pas tirer sur la partie la plus courte mais répartir la différence en souplesse). Il est quelquefois préférable de préparer le montage avec un fil de bâti lorsque l'on est débutant.

Soutenu : (Upholding piece) Appellation à la partie à soutenir. Cf. Embu.

Surjet : (Overlock Stitch) Point effectué par une surjeteuse, machine permettant de raser le bord du couturage tout en le bordant. Ce point peut se faire sur une seule épaisseur pour une finition de propreté ou sur plusieurs épaisseurs pour faire un assemblage dans une matière susceptible d'effilochage (tissus légers ou tissages lâches) ou de détricotage (maille).

Surpiquer : (To topstitch) Piquer au bord d'une couture et sur ses couturages pour décorer et orienter les coutures dans un sens donné.

Surpiqûre : (Topstitching) Rang simple ou double de points droits réalisés sur l'endroit du tissu le long d'une couture pour la contraindre à une orientation ou pour un effet décoratif.

Thermocollant : (Fusible Interfacing) Tissage ou non-tissé additionné d'une enduction de colle à poser sur le textile par fusion au fer à repasser ou plateau de thermocollage afin de structurer ou stabiliser celui-ci.

Tourneur ou Sifran : (Turner or point presser) Pièce de bois ou de plastique se finissant en pointe d'un côté et en arrondi de l'autre. La pointe sert à ressortir les pointes de col ou les coins de poche ; l'autre partie de la planchette sert à maintenir les coutures ouvertes pendant le pressage sans être brûlé par la vapeur ou la chaleur du fer.

Trame : (Weft) Fils d'un tissage correspondant à la largeur du tissu d'une lisière à l'autre et perpendiculaires à la chaîne.

Triplure : (Underlining) Se dit de l'entoilage d'un vêtement. C'est une qualité traditionnelle, non thermocollant, en toile de laine.

LEXICON

Applied piece : *(Application) A piece of fabric stitched over a main pattern piece for reinforcement or decoration.*

Armpit : *(Entournure) The hollow at the lower part of the garment armhole.*

Bar Tack : *(Barre) A group of machine-made, tight zig-zag stitches, used to reinforce small areas of strain or to avoid tearing at openings (at the end of pocket openings, on fly front zippers, etc.).*

Bevel : *(Cranter) To trim seam allowance perpendicular to fabric edge in order to reduce bulk, when two layers of fabric sewn together are turned to the right side of fabric.*

Bind : *(Brider) To tighten or to enclose an edge in bias tape.*

Buckram : *(Bougran) Cotton twill tape used to define the outer edges of a garment. Ex: Men's vest facing.*

Capucin : *(Capucin) Shape of a pointed hat. This shape is often used on a shirtsleeve placket. A 'capucin' slit or clip corresponds to clipping the end of a seam on a 45° angle.*

Catch stitch : *(Point de chausson) A hand stitch used for hemming that maintains flexibility between the two layers of fabric. Useful for loosely woven fabrics that stretch out of shape after assembly.*

Center line, on fold: *The center line on the garment is seamless, on the straight grain and cut on the folded edge of the fabric, as indicated on the pattern piece.*

Center line, straight grain : *The pattern for a garment is always made in halves, except for an asymmetrical garment. In most cases, the garment's center line is on the straight grain. This will be indicated on the pattern piece.*

Clapper or Pounding Block: *(Passe-carreau ou bloc à marteler) A smooth wooden block made in beech, used for pressing seams open. The tapered point is used to press open collar points. Its wooden stand allows seams to be flattened while retaining the steam and heat in the fabric. Perfect for hard-to-press fabrics with natural elasticity such as wool with keratin.*

Clear-Cut Edge : *(Coupé bord franc) Patterns with a clear-cut edge are without a seam allowance value. Their assembly implies an application on a piece with seam allowance. For fabrics that do not fray.*

Cross-Over : *(Croisure) A value added as an extension to the center front or center back permitting two pieces to overlap for the buttoning = ½ cross-over value. The addition of this value for each piece equals the cross-over value.*

Dampened Presscloth : *(Pattemouille) A cotton cloth with a patina, dampened and twisted, used to protect the garment fabric from direct contact with the iron and from shining. The dampness increases the steam effect without moistening the fabric.*

Double Felling Hem : *(Rempli double) Double tucked hem : the hem width is folded twice (1 cm of seam allowance + hem width value), then sewn with a row of ribbed topstitching.*

Double-Faced Fusible Tape : *(Araignée) A strip of double-faced fusible tape used to hold two fabrics together (hems, facings,etc.).*

Dry Presscloth : *(Patte sèche) A cotton cloth with a patina, used to protect the garment fabric from direct contact with the iron and from shining or calendaring.*

Ease Distribution : *(Répartir l'embu) The ease distribution is very important. This excess value must be eased into a shaped seam, without gathers. The ease values are positioned at a specific area on the garment and are indicated on the pattern with notches on the two pieces to be assembled.*

Ease : *(Embu) The essential excess value, for example, for set-in sleeve and armhole assembly. This ease value allows the sleeve to follow the curved shape of the shoulder or shoulder pad. See Ease Distribution.*

Extra Seam Allowance : *(Relarge) A value added to certain areas of the garment permitting alterations to be made on a finished garment after assembly.*

Facing or Faced Hem : *(Enforme ou Ourlet de propreté) An interior finishing made in the same fabric as the garment. It is the exact shape and parallel to the garment edge.*

Facing : *(Parementure) A fabric piece attached to the edge of the garment, then folded to the wrong side covering the cross-over value and extending beyond the center front line. The facing is cut in the same fabric as the garment and has the exact shape of the garment edge.*

Facing or Trimming : *(Garniture) Fabric piece cut in the same fabric and the same shape as the garment edge, stitched to the garment's lining (percale lining, pocketing) in order to cover the lining, if necessary. See Facings.*

Facings : *(Parement) Fabric piece cut in the same fabric and the same shape as the garment edge, stitched to the garment's lining (percale lining, pocketing) in order to cover the lining, if necessary. The pocket flap on a military garment is referred to as facing. See Facing or Trimming.*

Felled Hem : *(Rempli) The term used for a hem in the industry.*

Felling : *(Rabattage) After assembling two pieces with the same shaped edges (right side against wrong side), the right side of one piece is folded on the right side of the other piece. A row of ribbed topstitching is sewn along the edge (felling a neckline facing).*

Finishing : *(Finition) Embellishment details added to a garment (bias tape, hem, braid, trim,etc.).*

Fitted Assembly : *(Coulissage) The assembly of two identical lines with the same shape (right sides together), by inserting one piece between two others. Ex: Fitted assembly by inserting the prepared collar fall between the two parts of the collar band.*

Fly Tab Facing : *(Sous-pont) A separate facing assembled to the center front of trousers used for the cross-over value and for a zipper fly tab or a button fly tab. Placed on the left front for women's trousers and on the right front for men's trousers.*

Fly Tab : *(Pont) Folded tab (seperate or one-piece) placed along fly opening, assembled to the right side for women's trousers and to the left side for men's trousers.*

Folded value : *(Rentré) The folded seam allowance value.*

Fusible Interfacing : *(Thermocollant) Woven or nonwoven fusible interfacings have a heat-activated resin coating on one side. Ironed to the fabric, they provide the garment with structure or supple shaping.*

Gathering : *(Froncage) Reducing the length on one piece and to distribute evenly the predetermined fullness by sewing it to another piece.*

Glazing : *(Glaçage) A pad stitch used to assemble two layers of fabric (canvas interfacing to fabric, or two fabrics together for a reversible effect).*

Hem : *(Ourlet) A seam allowance value placed at the lower edges of a garment (sleeve bottom or skirt bottom), turned to the wrong side to obtain a clean finish along garment edge. See Simple Felled Hem.*

Hook & Bar : *(Agrafe jockey) A metal fastener used on men's trouser waistband, sewn between waistband layers. It is invisible from the outside of the garment.*

Inlay : *(Incrustation) The assembly of two pieces with opposite angles. Ex: An acute angle and a concave angle forming a flat surface, or two different angles creating a volume when assembled.*

Kapok : *(Kapok) A synthetic or vegetable fiber used for stuffing or padding the mannequin's arm.*

Notch : *(Cran) A notch is cut perpendicular to the fabric edge (to be cut 0.5 cm, when the pattern pieces are being cut). The notch is an indication for assembly, for a foldline, or for matching two pieces.*

Notch : *(Raccord) A line placed perpendicularily to the pattern edge, used to match two pieces for assembly.*

One-Piece : *(A même) Two parts of a garment constructed without a seam in one pattern piece. Ex: simple shirt collar: the collar band and the collar fall are constructed together without a seam, resulting in one pattern piece.*

Overlock Stitch : *(Surjet) Stitch made by an overlocking machine. The overlocking machine cuts the fabric edge before covering it with an overlock stitch. The overlock stitch can be used as a finishing on a single layer of fabric, or to assemble several layers of fabric that are susceptible to fraying (light or loosely woven fabrics), or for assembling knits.*

Pad Stitch *: (Bagué) A diagonal stitch used to join a canvas interfacing to a fabric. It is invisible from the outside of the garment. See Glazing.*

Piping : *(Passepoil) A narrow strip of fabric made in the same fabric as the garment required to make a pocket opening on a garment panel. It can be part of the garment panel (one-piece) or a separate piece.*

Pocket lining : *(Fond de poche) The interior part of the pocket with the same shape as the pocket sack, placed on the inner side of the garment, next to the body.*

Pocket sack : *(Sac de poche) The interior part of the pocket with the same shape as the pocket lining and the pocket opening. It is placed against the garment.*

Pocketing : *(Poltaise) Strong, tighly-woven cotton percaline used for pocket sacks in men's trousers.*

Pointing : *(Pointage)* Marks placed on a pattern to indicate the precise placement for a pocket. Ex: A small cross placed on the pattern, then transferred to the fabric by a small hole (industrial pointer) or by marking with tailor's chalk, or by hand-basting indicates a piped pocket placement.

Pressing : *(Pressage)* Using the weight of an iron to press a garment without the back-and-forth movement used when ironing. Pressing is done once the steam ironing has been completed. Pressing is a finishing used to flatten heavy fabrics and to avoid glazing on certain fabrics.

Puckering : *(Grignage)* Very slight gathering between two seams. Puckering should be avoided when assembling a curve to a straight line. Puckering can occur if the sewing machine is not adjusted correctly, when the needle is too big and breaks the fibers, or when the feed has inadequate pull.

Reinforcement ½ Circle : *(Hirondelle)* A round-shaped piece of pocketing placed astride the crotch seam on men's trousers to avoid wear.

Reinforcing patch : *(Assise)* A small piece of fabric or fusible interfacing placed between two layers of fabric to strengthen the buttonhole area (on light weight fabrics) before the buttonhole is made.

Ribbed Pleat Edge : *(Nervurer en arête)* Topstitiching along the edge of a pleat (wrong sides together), 1 mm from the foldline.

Ribbed topstitching : *(Nervurer)* A row of topstitching 1 or 2 mm from the seam.

Ribbon-Backed Waistband : *(Ceinture anglaise)* A strip of belting with applied rubber banding attached to the inside of a men's trouser waistband.

Saddle Yoke : *(Rehausse)* The back yoke piece on a pair of jeans.

Seam allowance : *(Couturage)* A value added to the pattern from the seamline to the pattern edge, permitting seam assembly. This value can vary from 0.5 cm to 1 cm or more according to the area on the pattern, the type of machine used (flat seam machine, overlock machine,…) or the type of seam chosen. The standard seam allowance value is 1 cm and is parallel to the seam. There are certain exceptions such as the crotch seam allowance on men's trousers.

Sewn On : *(Rapportée)* Describing one piece that is sewn on to another piece.

Sheathed Assembly : *(Fourreau)* The assembly (or lining) of two pieces of the same shape, right sides together, then turning the pieces closing the seam allowances inside the garment, without topstitching.

Shoulder pad : *(Epaulette)* Shaped layers of cotton wadding or felt, shaped to the shoulder and defining or raising the shoulder line, according to garment design and style. Different shapes of shoulder pads match different forms of shoulders and sleeves (set-in sleeve, tailored sleeve, raglan sleeve, dropped sleeve,etc.).

Simple felling hem : *(Rempli simple)* Plain tucked hem: the hem width edge is overlocked, then folded once and sewn with a machine stitch or an invisible hand-stitch.

Sleeve Board : *(Jeannette)* A small narrow ironing board on a stand allowing easy ironing for difficult to reach areas, in order to iron seam allowances open. For circular shapes including sleeves and trouser legs. The upper part of sleeve board is used to pre-form the sleeve cap.

Sleeve Head : *(Cigarette) A strip of heavy flannel or lambswool placed between the sleeve cap and the seam allowance. It prevents the sleeve cap of a set-in sleeve from collapsing and gently shapes the sleeve ease.*

Straight grain / S.G. : *(Droit fil / D.F.) The straight grain is parallel to the fabric selvedge.*

Straight line / S.L. : *(Droite ligne / D.L.) The straight grain line indicated on a paper pattern.*

Tailor's ham : *(Coussin ou cochon) A tightly-packed, large or small, curved pressing surface, similar in shape to a 'ham'. Its different curves allow for pre-shaping garment parts such as the chest area on a men's jacket or the curve on a tailored collar.*

Template : *(Gabarit) A shape without seam allowance, cut in stiff cardboard or metal and used to pre-shape a garment piece or as a guide for topstitching (trouser fly topstitching, patch pocket, etc.).*

To Ease In : *(Soutenir) To assemble two unequal seam lengths without puckering. Ex: Bust line seam assembly (distribute the excess smoothly, without pulling on the shorter piece). For beginners, it is better to hand-baste the seam before assembly.*

To Encase : *(Emboîter) Positioning two identical shapes one inside the other, with right sides together.*

To Fold : *(Remplier) To fold the hem width value.*

To Patch : *(Plaquer) To machine stitch one piece on to another*

To Shape : *(Préformer) To prepare the shape of a garment part by ironing.*

To Topstitch : *(Surpiquer) To stitch over a seam and the seam allowances for decoration, or to maintain seam allowances folded to one side.*

To Trim : *(Dégarnir) To cut away the excess seam allowance value after the seam has been sewn.*
    -To trim one layer of seam allowance perpendicular to fabric edge to lighten the seam. In this case, one layer of seam allowance value of 1 cm will be trimmed 0.5 cm to reduce bulk, when turned with wrong sides together. The trimmed seam allowance is always on the side against the visible part of the garment.

To Turn Down : *(Rabattre) To fold one or both seam allowance values to one side or the other.*

Topstitching : *(Surpiqûre) A single or double row of stitching on the right side of fabric along a seam line. Used for decorative purposes, or to maintain seam allowances folded to one side.*

Trimming : *(Araser) To cut away the seam allowance value close to stitching (see : To Trim).*

Trouser Fly Topstitching : *(Couteau) Decorative topstitching around the trouser fly. The topstitching can end with a curve or with an angle.*

Tunnel : *(Coulisse) A tunnel formed by a strip of fabric or a hem constructed to enclose a drawstring, permitting a volume adjustment by forming gathers.*

Turner or Point Presser : *(Tourneur ou safran) A slender wood or plastic tool with one pointed and one rounded end. The pointed end is used to push out corners of pockets and collars. The point presser is used for pressing seams open to avoid burning the fabric with the steam or heat from the iron.*

Underlining : *(Triplure) A sew-in interfacing used for tailoring garments. Made in a wool canvas, it is a standard quality, and not fusible.*

Upholding Piece : *(Soutenu) The piece with the shorter seam length when easing in two unequal seam lengths. (See : Ease).*

Waistband finishing : *(Hausse) A strip of fabric used as a finishing in the inside of men's trouser waistband. See : Ribbon-Backed Waistband.*

Warp : *(Chaîne) Parallel yarns woven corresponding to the length of the fabric and perpendicular to the weft.*

Weft : *(Trame) The yarns that are woven across the width of a fabric from one selvedge to the other and perpendicular to the warp.*

Wool Canvas : *(Entoilage) Woven from wool and hair fibers, this interfacing is used for added support for the inner part of a men's jacket.*

Remerciements de l'auteur

Je remercie chaleureusement mes étudiants pour leur encouragement dans l'élaboration de ces fiches ainsi que pour leur collaboration.
Sans oublier naturellement ma famille et l'équipe d'ESMOD.

Author's Acknowledgments

My warmest thanks to my students, for their encouragement and collaboration in the creation of this manual.
I would like to especially thank my family and colleagues at ESMOD.

ESMODEDITIONS

◇ Méthode de coupe - vêtements féminins

◇ Méthode de coupe - vêtements enfants
(incluant méthode de gradation enfants)

◇ Méthode de gradation - vêtements féminins

◇ Méthode de dessin de mode

◇ *Pattern-drafting manual - women's garments*

◇ *Pattern-drafting manual - children's garments*
(including children's grading manual)

◇ *Grading manual - women's garments*

◇ *Fashion drawing manual*

www.esmod.com
ou *or*
edition@esmod.com
12 rue de Cléry 75002 Paris FRANCE
Tél : / Ph : 0033 (0)1.42.33.31.56

A propos de l'école :

Créée en 1841 par Alexis Lavigne, tailleur-amazonier de l'impératrice Eugénie, l'école ESMOD a perpétré depuis, son savoir-faire à travers son réseau international. Une méthode unique, revisitée, actualisée et adaptée à chaque culture dans un réseau de 14 pays. Esmod International bénéficie d'une vision planétaire unique des métiers de la mode.

About the school :

ESMOD is the oldest and most renowned fashion design school in the world, with schools established across the globe. Founded in 1841 by Alexis Lavigne, master tailor for the Empress Eugénie, ESMOD's International network has been transmitting «French Expertise» that foresees current events and that evolves to meet the market's needs, for over 165 years.

A propos de l'auteur :

Diplômée d'ESMOD, la plus ancienne école de mode créée dans le monde, Claire Wargnier y dispense aujourd'hui des cours de modélisme. Son expérience dans les métiers de la mode et ses différents secteurs, lui permet d'adapter son enseignement aux besoins des étudiants de l'école. Elle exerce actuellement également en tant que consultante dans l'industrie de la mode, vit et travaille à Paris.

About the author :

Claire Wargnier is a graduate from ESMOD, the world's oldest and most renowned fashion design shool, where she is presently a pattern-drafting professor. Her experience in the different sectors of the fashion industry have allowed her to adapt her teaching methods to the student's needs. She is also a consultant in the fashion industry, works and lives in Paris.

Copyright 2008 Esmod Editions
ISBN 978-2-909617-17-6
1ère édition - Dépôt légal : Novembre 2008

Impression : Stella Arti Graphiche - Trieste/Italie
Agence de Paris : tél : 01.40.59.83.27